60 ANOS A MIL

60 ANOS A MIL

2010–2020

Editor executivo
Rodrigo de Almeida

Pesquisa
Alex Brum

Produção editorial
Anna Beatriz Seilhe

Preparação
Bárbara Anaissi

Revisão
Eduardo Carneiro e Silvia Baisch

Diagramação
Filigrana

Capa
Kelson Spalato

Imagem da capa
Miro/Top Magazine

Dados Internacionais de Catalogação na Publicação (CIP)
Angélica Ilacqua CRB-8/7057

Lobão, 1957-
60 anos a mil / Lobão – São Paulo: LeYa, 2020.
272 p.
ISBN 978-85-7734-706-3

1. Lobão, 1957 – Biografia 2. Músicos de rock – Brasil – Biografia I. Título

19-2497 CDD 927.824166

Índices para catálogo sistemático:

1. Músicos de rock - Brasil - Biografia

EDITORA CASA DOS MUNDOS PRODUÇÃO EDITORIAL E GAMES
Rua Avanhandava, 133 | Cj 21
01306-001 – São Paulo/SP

À minha Regina amada.

Nota do editor

Neste livro, decidimos manter o léxico e a sintaxe peculiares e autorais de Lobão. Não fosse assim, a fluidez e o ritmo do livro, tão originais, seriam perdidos.

Nota do autor

Decidi configurar os capítulos escritos especialmente para este *60 anos a mil* de forma mais esquematizada do que os preparados há dez anos para a edição de *50 anos a mil*. Isso incluiu a apresentação das devidas datas abaixo da numeração dos capítulos e de intertítulos para expor melhor os temas explorados. Decidi manter aquele livro intacto por imaginar proporcionar, assim, uma sensação mais acentuada de mudança de tempo, a transformação do escritor e as diferenças entre o que foi escrito na primeira parte e agora, dez anos depois.

Prólogo

Esses últimos dez anos foram, sem a menor sombra de dúvida, os mais produtivos, criativos, dramáticos e felizes (até agora) da minha já tão atribulada vida.

Foram dez anos fecundíssimos, que me renderam cinco livros e meio (vá lá que esta nova edição da minha autobiografia valha meio), um DVD, quatro álbuns (um duplo) e mais dez singles. Isso tudo aconteceu num intervalo de exatos dez anos, se contarmos como o início desse ciclo o lançamento do *50 anos a mil*, em 2010.

Para quem estava imaginando uma vida mais introspectiva ao chegar a São Paulo, o destino me pregou uma peça. E, numa intensidade frenética, fui enredado numa série de aventuras, riscos, lutas, desafios, conquistas, encrencas, perdas e ganhos. Portanto, ainda não atingi meu estado búdico.

Para recuperar o fio da meada do relato desse momento atribuladérrimo da minha existência, vamos recapitular algumas passagens anteriores a esse período que considero importantes. Comecemos, então, pela nossa chegada a São Paulo.

Estávamos em maio de 2008. Eu, Regina, Lampião, Maria Bonita e Dalila nos mudamos para São Paulo. Alugamos uma casinha numa rua sem saída, entre os bairros Pompeia e Sumaré, aconchegante, compacta, com uma edícula que transformei em estúdio, construindo um segundo andar, ficando o primeiro como escritório da Regina.

Na sala havia uma lareira convidativa, posta sofregamente em uso logo na noite em que chegamos, com uma São Paulo envolta numa frente fria de boas-vindas. Havia uma cozinha que também fazia o papel de sala e copa, com um pé-direito alto a exibir as telhas e as vigas rústicas de madeira.

A primeira coisa que Regina fez foi enfileirar sua coleção de galinhas de cerâmica naquelas estupendas vigas, colocar nossos quadros e fotos nas paredes e, assim, deixar que nosso aconchego interno se espalhasse pelo novo lar.

Nosso quarto dava para a rua, e um jardim bem jeitoso nos fundos se estendia pelo quintal, para alegria dos gatos, que iriam se esbaldar com a nova selva.

Escolhemos esse lugar, dentre outros requisitos, por ser muito próximo aos estúdios da MTV, onde eu trabalharia nos dois anos seguintes. Tão perto da emissora que, por várias vezes, lanchava em casa durante os intervalos comerciais do *Debate MTV* (que era ao vivo!).

Meus planos naquela época eram parar a turnê do *Acústico MTV* (era difícil parar um show com demanda constante, e esses shows acústicos possuem, aqui no Brasil, uma espécie de mórbido apelo público) para formar uma banda paulista (a banda do *Acústico* era toda carioca), começar a compor material para um disco novo, mergulhar nos meus estudos de gravação no Pro Tools e adquirir alguns equipamentos necessários (comprei uma bateria Mapex Saturn Series e passei a praticar diariamente o instrumento, após uns vinte anos sem frequentá-lo, executando uma playlist de todos os meus discos de formação – em sua maioria, clássicos de 1971).

Tocar bateria de novo, ter meu instrumento nativo à mão, iria me dar uma motivação incrível em todos os setores da minha vida, uma vez que, sendo um baterista nato, tudo o que faço e penso passa primeiro pelo filtro da bateria: escrevo como baterista, penso como baterista, canto como baterista, toco guitarra, baixo e violão como baterista, amo como baterista.

Com o estúdio instalado e funcionando, minha atividade musical se expandiria muito. Comecei a ficar pelo menos umas dez horas por dia imerso no estúdio.

Iniciou-se, assim, um período durante o qual eu daria um salto definitivo em meu trabalho de produção musical, de composição, no meu conhecimento do computador e no aprendizado de novos instrumentos.

Ficamos absolutamente inseridos na vida da cidade e nos parecia, num curtíssimo espaço de tempo, que morávamos em São Paulo desde criancinhas.

Nossa vida social se ampliou, nossos amigos nos visitavam com frequência e, me sentindo devidamente acolhido pela cidade, comecei a empreender um hábito que há muito imaginava vivenciar, um hábito decalcado num arroubo de nostalgia alheia, daquelas refeições épicas do Nelson Rodrigues.

Como no Rio esse hábito me saiu uma utopia, em São Paulo ansiava por pertencer a um grupo de amigos para almoçar, filosofando à mesa de um bar ou de um restaurante, e, assim, usufruir o transcendental espírito de comensalidade e camaradagem.

E foi assim que surgiu a nossa famigerada UDN gastronômica, nosso núcleo conspiracional, filosobólico, com meus queridos amigos Claudio Tognolli e Sérgio Malbergier, comparsas de conversas e talheres em nosso point semanal de eleição, o Spot, na alameda Ministro Rocha Azevedo, próximo à avenida Paulista.

A título de um maior esclarecimento sobre os eventos que ocorreriam na década seguinte, é de bom alvitre eu dar uma pequena esmiuçada em certos episódios anteriores à nossa chegada a São Paulo, pois, dessa forma, consigo expor uma imagem mais nítida dos fatos, uma vez que fui um tanto negligente com esses episódios na primeira parte da minha autobiografia.

O rito de passagem

Já naqueles idos de 2008, todos haviam percebido que eu me tornara um opositor ferrenho do PT desde os episódios do mensalão, em

2005 (na verdade, antes disso)... Além da minha crescente irritação em perceber uma íntima relação de Luiz Inácio Lula da Silva com o então incipiente esboço de nanotiranias na América Latina, encarnadas no bolivarianismo brega de Hugo Chávez, que não passava de um socialismo com buquê de banana.

Isso sem falar na área da cultura, quando, para meu espanto, havia percebido que, a partir da gestão de Gilberto Gil no Ministério da Cultura (MinC), a Lei Rouanet passara a beneficiar artistas consagrados, detentores de grande público, algo absolutamente fora de propósito – para não dizer obsceno.

Acabei por me tornar a primeira pessoa (o primeiro artista) a levantar essa lebre, apesar de passar muito tempo aturando gente me chamando de maluco, não havendo uma alma sequer a se escandalizar com aquela indecente obviedade. Mas seria por pouco tempo.

O setor cultural se incharia de proposições ideológicas em dimensões inéditas (e olha que basta reler as confissões de Nelson Rodrigues para perceber o perrengue doutrinário em que já vivíamos desde os anos 1960), fabricando monstrengos na área da cena independente, como o Fora do Eixo (capitaneado por Pablo Capilé), e tendo no MinC (um feudo do PCdoB) uma espécie de quartel-general da Máfia do Dendê, naquele tempo sob a alcunha de Procure Saber.

Devido a essas amargas decepções, somadas à minha responsabilidade de ter apoiado o PT por mais de 11 anos, decidi, assim, pôr em prática minhas primeiras escaramuças opositoras.

100% *friendly fire*

O rito de passagem ocorreu numa festa do PT, em plena guerra do Iraque, em 2004, quando se falava muito sobre fogo amigo, por conta dos bombardeios involuntários dos aviões norte-americanos contra suas próprias tropas de infantaria em solo.

Confesso a vocês que, até aquele presente momento, jamais havia ouvido aquela expressão ambígua, traiçoeira, sonora, de uma dramaticidade quase cômica, que de imediato me estimulou a investir num projeto retaliativo (retaliação criativa e artística) baseado na minha síndrome de reordenação semântico-cognitiva (ainda vou falar com mais detalhes sobre esse traço psicopatológico em um próximo capítulo).

O evento em questão era a festa de aniversário do *mui* simpático José Genoino. Sim! Nosso Genoino é daquelas criaturas que nos cativam instantaneamente com seu porte garboso, olhar mesmerizante, sorriso largo.

Pois bem, apesar de todo esse verdadeiro afeto que nutria (e ainda nutro) pelo José Genoino, havia de focar no intento macabro da minha ação, que era transformar aquela visita faceira, amistosa e fofa num rito de defecção, numa mensagem de ruptura, num atentado estético.

Para tal, deveria recorrer ao uso de alguma forma ardilosa de comunicação visual, algo que, mesmo parado, hierático, silente ou mesmo a sorrir, pudesse emanar da minha pessoa sinais inequívocos de contestação e divergência através de alguma anedota gráfica.

Sendo assim, imaginei desenvolver sofisticada trama com minha indumentária, transformando minha superfície peitoral num outdoor.

Para isso, me dirigi à papelaria mais próxima e comprei um tubinho de tinta metálica prateada para tecidos. Em seguida, dei um pulo até o armarinho ao lado e adquiri uma camiseta preta da Hering.

E, transido de fervor terrorista, me sentindo um Lee Oswald do ornamento semiológico, escrevi na camiseta, em letras garrafais, os dizeres "100% *FRIENDLY FIRE*".

Cheguei na tal festa acompanhado pela então senadora Heloisa Helena, ambos decepcionadérrimos com o PT, e eu lá, envergando impoluto a tal camiseta 100% *friendly fire*, no fervoroso intuito de *épater la gauche*, crente que estava causando um tremendo alvoroço. Para minha inteira decepção, caí das nuvens ao perceber que minha provocação gráfica era robustamente ignorada por aquela patota petista (militantes, sejam eles da esquerda, sejam da direita, são verdadeiros eunucos do humor).

Me dirigi ao Genoino com aquele friozinho na barriga que todo terrorista que se preze deve sentir antes de cometer seu atentado.

Ao me aproximar numa distância de um potencial abraço, e um tanto ansioso, proferi, traduzindo sem transição os dizeres que gritavam nervosos no peito estufado, para definir melhor o 100% *friendly fire* prateado escrito à mão: "Fogo amigo! Fogo amigo!"

Ele reagiu à mensagem me enviando um sorriso forjado por décadas de tarimba, no mais espesso e enigmático silêncio.

A piada não colou...

Decepcionadíssimo com a total ausência de metabolização do meu ato de terrorismo semiológico, dei uma piscada para a senadora (minha ternura por Heloisa Helena persiste até os dias de hoje) e fomos embora no mesmo táxi que nos levou ao evento.

Nasce o PMNFE!

A segunda escaramuça opositora foi registrada através da campanha pela formação de um partido político, o PMNFE (Peidei Mas Não Fui Eu), com direito a camisetas e uma paródia do samba de Chico Buarque "O que será", transformada no hino "Ó quem será que peidar".

Fiz campanha do PMNFE por vários estados brasileiros, não sem certo desconforto em vergar uma camiseta (sou um tímido incorrigível) com aquelas letras garrafais gritando PEIDEI MAS NÃO FUI EU.

Fiz programas de TV, fiz o Jô Soares e, por incrível que pareça, a reação sempre era de aceitação, fofura e até de jocosidade.

Cheguei até a visitar o Estado-Maior das Forças Armadas, em Brasília, onde fui dar uma pequena palestra, envergando a tal camiseta, e, para minha total surpresa, mais uma vez fui recebido com imenso carinho.

Confesso que tive de extrair de dentro de mim toda concentração, estoicismo e disciplina para manter firme a cara de pau em aparecer no quartel-general das Forças Armadas, saindo da traseira de uma van, de calção, sandálias Havaianas e aquela camiseta.

E assim trajado aconteceu o inesperado: fui gentilmente convidado a passar em revista as tropas devidamente perfiladas diante de mim!

Apesar do meu espanto, causado por tanta honra (e pela civilidade) daquele convite, não me fiz de rogado. Incorporei instantaneamente meu militar interior e, em passos de marcha, fui retribuindo vigorosa e risonhamente a continência aos meus comandados, com minhas sandálias Havaianas a percutir um sonoro slapt, slapt.

Cruzei toda a extensão do pelotão que, àquela altura do campeonato, me saudava repleto de esgares de riso contido (em virtude da rígida disciplina militar), ao vislumbrarem fascinados aquele sonoro Peidei Mas Não Fui Eu! cravado em minha camiseta.

Em seguida, me reuni com um grupo de militares especializados em telecomunicações, quando dei uma palestra sobre o assunto.

Com o sucesso que a camiseta fazia, cheguei a receber convites para inscrever a sigla e formar um partido, mas, como todos sabem, eu não suporto política.

O *Saca-Rolha* sai do ar

Minha primeira experiência de retaliação de origem política na era PT foi a extinção sumária do *Saca-Rolha*, em pleno 2006. Um programa que estava obtendo uma aceitação carinhosa de um público cativo, quando a Rede 21 foi arrendada pela Gamecorp, recém-adquirida por um dos filhos do presidente, o Lulinha.

Em menos de três semanas de convívio com a nova equipe diretora do canal (isso implicava uma intimidade cotidiana, como habitar as mesmas salas, produzir salamaleques benevolentes e gestos de boas-vindas partidos de nós da equipe do programa à nova direção da emissora), nosso programinha bacana, de súbito, foi saído do ar sob alegação de que nós mostrávamos "nítidos sinais de descontentamento e intolerância com o governo do Lula".

Como não poderia deixar de ser, todos nós envolvidos no programa achamos bizarra e descabida a tal retaliação, uma vez que, pela nossa percepção dos fatos, conseguíamos produzir um convívio bastante razoável, civilizado e democrático com os recém-chegados do Lulinha.

Naqueles tempos, ainda acreditava que vivíamos numa democracia, onde (teoricamente) poderíamos estufar o peito e declarar a plenos pulmões que tínhamos um presidente já claramente visto como um tremendo pilantra e que o PT já havia perdido aquela aura imaculada de partido baluarte da ética e da honestidade, se configurando célere para a inexorável pecha de ser uma das maiores quadrilhas que o Brasil já produzira.

No entanto, ingenuamente, não conseguia dimensionar o tamanho da enrascada em que estávamos metidos, muito menos o que o futuro nos reservava.

Já pelos idos de 2004/2005, havia claros sinais de aparelhamento de boa parte da mídia pela esquerda, que, em uma de suas primeiras escaramuças, batizava todos os órgãos ou jornalistas que não compartilhavam entusiasticamente os rumos e desígnios do governo pela não muito afetuosa sigla PIG (Partido da Imprensa Golpista).

Toda a mídia concebida como oficial, a mesma que nos dias de hoje é chamada de "extrema imprensa" pela extrema direita, quando produzia matérias com conteúdo desfavorável ao governo, lá vinham aqueles blogs e revistinhas pagos com nosso dinheiro a gritar pelas redes: "Não confiem no que eles escrevem! É PIG ! É PIG!"

O Brasil vive de silêncios formidáveis em sua memória, e o passado recente é de uma antiguidade matusalêmica. O que aconteceu na semana passada já vaga em degredo no rio do esquecimento, e basta um feriado para se enforcar uma denúncia, para definir uma nova afasia, para fundar uma nova pré-história e, assim sendo, enterrar mais um escândalo junto com os pterodátilos. Brasileiros, somos condenados a repetir com orgulho e convicção nossos mais grotescos erros, indefinidamente.

É, rapá... não há estilo sem fracasso...

Com a extinção do *Saca-Rolha*, seguida pelo retumbante fracasso de vendas do *Acústico MTV* (que, apesar disso tudo, acabou por ganhar um surreal Grammy Latino de Melhor Disco de Rock do Ano), fui anexado quase por osmose à programação da MTV, com uma finalidade épica de tentar produzir um programa de bandas ao vivo, uma espécie de mini *Jools Holland* (um programa ao vivo com apresentação simultânea de oito artistas em cada palco, há mais de vinte anos no ar na BBC). Queria, com essa empreitada, dar continuidade ao trabalho hercúleo de lançar artistas novos na revista *Outracoisa*.

Nossa versão, um pouco mais humilde, haveria de ter apenas dois palcos com dois convidados por noite, que tocariam os respectivos repertórios no transcorrer dos blocos, com direito a uma *jam session* comigo no final.

Apesar da excelência das bandas e da qualidade do programa, a audiência era pífia, e, após uma temporada, não voltou ao ar no ano seguinte.

Mesmo com o fracasso desse projeto, a emissora estava muito empolgada com minha desenvoltura de apresentador, e acabei substituindo o Cazé no comando do *Debate MTV*, programa que permaneceria no ar pelos quatro anos seguintes, obtendo bastante sucesso. Por sinal, seria num *Debate MTV*, por volta de 2008/2009, que travaria, de forma um tanto inesperada, meu primeiro contato pessoal com o então deputado federal Jair Bolsonaro, um dos convidados da mesa daquela noite.

Estava na sala de maquiagem, de cara para o espelho, com aquelas lâmpadas feéricas e tórridas a emoldurar suas bordas, sendo devidamente empastelado (eu sempre detestei esse ritual de TV), quando o deputado abre a porta que ficava atrás das cadeiras de maquiagem, aguça as narinas como quem está buscando apurar o olfato, me olha pelo espelho, sorri e manda algo como: "Puxa, Lobão, tá todo perfumado! Que decepção! Mas isso não é coisa de roqueiro, rapaz! Roqueiro de verdade não toma banho! Roqueiro bom é roqueiro fedorento, talkei?!" (o "talkei" aqui é licença poética, talkei?). E desapareceu ágil e lépido pelo corredor, deixando ressoar uma rotunda gargalhada que atravessou todas as paredes da emissora.

É interessante constatar que, naquele período da nossa história, a oposição ao governo Lula era escassa, utópica, quase uma alucinação, e, por isso mesmo, nosso aguerrido Bolsonaro não era exceção à regra. Fazendo parte da base aliada do governo petista, apoiava com um entusiasmo inexplicável, inconcebível, um presidente já pública e notoriamente abandidado.

Mesmo com seu senso de humor um tanto obtuso e inoportuno, dado a explosões efusivas de risos (gargalhava solitário da sua própria piada de mau gosto), Bolsonaro se mostrava um homem simpático, à sua maneira.

Não preciso evidenciar que o *Debate MTV* era um programa feito sob medida para causar controvérsias, reações apaixonadas, irracionais e produzir muitos insultos que já recebia de forma torrencial nas redes sociais, aumentando exponencialmente em volume, indignação e ofensa quando, em 2009, me alistei no Tuíter sob o codinome de @ lobaoeletrico, e esse tal de Tuíter iria se transformar muito em breve num dos cenários mais eletrizantes do pedaço.

Por que Lobão Elétrico? Por quê?

Por sinal, muita gente não sabe por que adotei Lobão Elétrico, mas eu explico.

Na época, ainda tentava me livrar dos shows acústicos (repito mais uma vez: acústico no Brasil tem um apelo quase mórbido). E a

Regina passou a anunciar o novo show, já com a nova banda (André Caccia Bava na guitarra, Dudinha no baixo e Armando Cardoso na bateria), sob o título de Lobão Elétrico. Daí @lobaoeletrico, que acabou colando até os dias de hoje.

Outro detalhe interessante foi ter ganhado "de presente" a inscrição no Tuíter através da boa vontade de uma amiga da Regina, e, quando realmente comecei a usar a plataforma, já havia mais de três mil seguidores na minha página.

Com as primeiras explanações e adendos devidamente anexados e esmiuçados, vamos às novas aventuras desses últimos e feéricos dez anos.

Capítulo 1

2010 | *50 anos a mil* é um best-seller!

É necessário deixar claro que muitos dos episódios que serão narrados neste livro estão espalhados pelos meus livros subsequentes ao *50 anos a mil*: *Manifesto do Nada na Terra do Nunca*, de 2013; *Em busca do rigor e a misericórdia*, de 2015; e *Guia politicamente incorreto dos anos 80 pelo rock*, de 2016. Aqui tentarei expô-los sob uma nova luz, com um viés mais esclarecedor e complementar.

Por volta de 2007, portanto um pouco antes de nos mudarmos para São Paulo, recebi um convite inesperado de uma editora (a Nova Fronteira) para escrever um livro.

Seria um romance? Contos? Um ensaio? Que tal escrever uma autobiografia?

Sempre nutri o desejo de escrever um romance (e ainda nutro), e há quem diga que um autor que se preze não deve gastar seu arsenal de estórias e causos escrevendo sua biografia. Mas, mesmo assim, sabia de antemão que estava fadado a passar a limpo toda a minha história de vida, pois era uma questão de um velho compromisso comigo mesmo.

Com tantos acontecimentos para colocar em dia, acabei por negociar um estratégico e psicológico engavetamento mental desses dramas particulares até um determinado momento em que me considerasse com alguma estrutura emocional e psicológica para confrontá-los e sublimá-los.

Portanto, esse convite me soou como um sinal muito claro de que estava mais do que na hora do meu reencontro com tudo aquilo. Sim, estava mais do que na hora de enfrentar todos aqueles fantasmas cara a cara e tentar entender de verdade o que se passou dentro de mim, o quanto aquilo tudo havia me afetado e como eu poderia sublimar aquelas perdas e traumas.

Mesmo assim, ao escolher escrever sobre minha vida, só iria realmente aquilatar a catarse que essa empreitada me exigiria quando terminasse de escrever a última página, e da última página para além. Quando o livro foi finalizado, me flagrei uma pessoa completamente diferente de quando iniciei sua escrita.

Encaro como uma dádiva ter percebido que escrever se revelara para mim um ritual de cura e amadurecimento, uma experiência tão densa e profunda que me perguntei como não havia iniciado esse processo antes. Mas tudo em seu tempo…

É muito curioso você estipular um roteiro, itens a serem relatados, intenções emocionais a serem ressaltadas, brasas puxadas para a nossa sardinha e verificar com espanto tudo isso se transformando, se desmoronando, sendo moldado por um impulso muito mais possante que qualquer planejamento ou intenção prévia: o clamor interno por verdade, por reconciliação com o passado, por perdão, por amor, e não por revanche, por rancor, por trauma ou por escárnio. Uma espécie de pacto inconsciente com o mito.

E essa "mágica" ocorre em todo o projeto literário (ou musical) em que me embrenho. A narrativa se impõe sobre minhas vontades. Ao escrever, organizo minhas ideias, pondero, discordo de mim mesmo, entro em crise, apago tudo, reescrevo até uma voz interior (ou também exterior?) me alertar de que posso prosseguir sereno, pois o livro já tem vida própria e, livre de mim, independe das minhas mesquinhas intenções pessoais.

Portanto, a tarefa de me defrontar com toda a minha memória frente a frente com a tela em branco do meu computador, e transformá-la em relato vivo, foi um dos maiores desafios da vida.

Outro aspecto que me impressionou bastante foi a fluidez e a proficuidade do texto. Acabei por escrever mais de novecentas páginas (963 páginas em Word, para ser preciso), sendo obrigado a amputar quase dois terços de seu conteúdo.

Foi assim que me descobri numa rotina diária de acordar de madrugada (umas quatro da manhã), trabalhar até a hora do almoço para terminar a maratona às seis da tarde. Esse tempo todo me rendia uma média de meio capítulo por dia, com direito a reler tudo depois do jantar e mostrar os esboços para Regina pacientemente dar seu aval.

Durante todo o período de feitura do livro, vivi sob um estado de catarse emocional profunda, sempre sujeito a crises de choro e gargalhadas homéricas, mas sempre com um sentimento de redenção, reconciliação, amor e euforia.

Conviver com a dor sem temê-la me fez muito bem.

Entretanto, apesar de toda aquela experiência abissal, não tinha a menor ideia de quão confessional, escancarado e despretensioso se revelaria o livro, e isso me deixaria imensamente recompensado.

Afinal de contas, lá estava eu, me flagrando em uma nova reinvenção de mim mesmo – agora como escritor, aprendendo a escrever com meu sangue para resgatar minha alma.

E, a partir daquele instante epifânico, jamais pararia de escrever (livros).

Todavia, nesse projeto de atualização em que me encontro, optei por escrever essa saga complementar pilotando uma bicicleta ergométrica. Portanto, para essa nova versão, decidi me impor um processo multifuncional em homenagem às minhas raízes baterísticas. Como disse antes, escrevo como se tocasse bateria. Meu organismo e minha mente atuam assim: escrevo as palavras que saem inexoravelmente "batucadas" de meu cérebro.

Entre minha saída da MTV e o lançamento do *50 anos a mil* não houve praticamente nenhum intervalo. O livro superou todas as minhas expectativas e foi recebido pela crítica e pelo público com efusão e carinho.

As vendas dispararam e a agenda da turnê pelo Brasil com palestras e noites de autógrafos aumentava a cada dia.

Fui prontamente convidado para participar de todos os programas de televisão, e, para minha surpresa, todos exalavam admiração e empatia pela minha história de vida (alguns, mais comovidos, me chamavam até Xurupito), assim como também pelo estilo peculiar da minha forma de escrever.

Por um breve momento, parecia que eu era o fofo da vez. Mas essa "fofura" não duraria muito.

Lobãothinho, o inimigo público número 1 da esquerda

Posso traçar claramente uma fronteira entre a "fofura" e a indignação, entre uma razoável aceitação da minha pessoa (inédita até então!) para o início de uma guerra histérica declarada pela esquerda, por encargo de um episódio que ocorreu numa palestra/show numa cidade no interior de São Paulo, para lançar o livro, ao me arvorar a comentar sobre a implementação da famigerada Comissão da Verdade.

Percebendo um critério dúbio dessa tal comissão, exibi à plateia que me assistia toda sua assimetria ética, a disparidade de pesos e medidas arbitrados em julgar crimes hediondos e o inevitável impulso de retaliação do adversário quando se obtém o poder.

Para ser mais pedagógico (e provocador), urdi uma espécie de parábola (anti)ética, exibindo um padrão descabido dessa tal comissão ao omitir de sua cruzada contra crimes hediondos da época da ditadura fatos como sequestrar aviões e levá-los para Cuba, esquartejar jovens indefesos no Araguaia, desfigurar reféns amarrados a coronhadas, explodir inocentes em aeroportos, esmigalhar miolos de alvos equivocados, para, em seguida, condenar apenas os casos de torturas nos calabouços do Dops e congêneres.

Após essa explanação, concluí o raciocínio afirmando que, para aquela comissão, ao ter complacência com essas barbaridades perpetradas pela esquerda, seria simétrico indulgir "as unhazinhas arrancadas" nos calabouços da ditadura. As "unhazinhas" foram a senha.

Quero deixar claro aqui que, ao cometer essa provocação consciente, despertaria a indignação (unilateral e despropositada) da esquerda, e, apesar dos desconfortos causados pelos vitupérios e protestos escandalizados, essa situação foi engendrada a título de desmascaramento dessas ações assimétricas desses falsos moralistas de plantão (por sinal, a direita os tem na mesmíssima proporção).

Seria eu... um médium?

Após a efêmera lua de mel durante a qual desfrutei dessa efusiva simpatia de público e crítica (o livro foi até nominado para o Prêmio Jabuti!), alguns setores dessa imprensa ideológica incipiente começaram a reagir furibundamente à minha magnética pessoa e passaram a arquitetar as mais variadas formas de tentativas (sempre vãs) de assassinato da minha reputação (que nunca foi lá essas coisas, diga-se de passagem). Não raro retiravam de forma bastante reprovável e fora dos contextos minhas confissões e narrativas descritas no meu próprio livro (a direita bolsolavista iria cometer essas mesmas ações em um futuro próximo).

Em outras palavras: eles pinçavam um fato, um caso, um episódio, que eu mesmo havia descrito em detalhes no livro, e anunciavam como se aquilo fosse uma denúncia de um segredo guardado a sete chaves!

Houve até um "psiquiatra" a me diagnosticar com sérios problemas mentais, numa efervescente delinquência profissional, simplesmente porque "interpretou" publicamente alguns parágrafos arrancados à revelia do meu livro, no prometeico intuito de despotencializar qualquer opinião que eu (um reacionário a ser desmascarado) viesse a emitir.

Mal poderiam prever que eu me tornaria uma espécie de xodó da Associação Brasileira de Psiquiatria.

Os blogs socialistas, que começavam a pipocar com mais evidência em virtude de um patrocínio momesco do governo gerado pelo nosso suado dinheirinho, iniciariam uma maratona interminável de escaramuças cafonérrimas (a covardia, via de regra, é bastante cafona), tentando, assim, me imputar uma aura que variava entre um débil mental e um reacionário de carteirinha, entre um lesado cerebral por causa do uso de drogas e um palhaço querendo mídia, entre um suposto filho de militar (o que é retumbante mentira) e um branquelo classe média de origem... holandesa(!).

Inventaram que meu pai tinha sido general, que eu havia comido minha mãe, que roubara para adquirir substâncias estupefacientes, que não passava de um roqueiro (uma ofensa em si) fracassado (um adorno redundante), de um músico falido e que, de forma alguma, teria eu condição intelectual de escrever meu próprio livro.

Passaram, então, a fomentar um boato esquisito que, de fato, não teria sido eu que escrevera minha autobiografia.

Por sinal, o Brasil é o país do silêncio ao elogio, assim como o da ofensa caluniosa ao adversário. Debates civilizados entre antagonistas ainda se constituem numa verdadeira utopia.

Se você é amigo, é um gênio; se vira adversário, então passa a ser, no mesmo instante, um farsante, um charlatão. Os argumentos? Que argumentos? O foco é desmilinguir o adversário com fofocas.

50 anos a mil vai virar filme?

Devido ao grande sucesso e à magnificente repercussão do livro, o produtor cinematográfico Rodrigo Teixeira me contatou querendo comprar os direitos para a produção de um filme.

Apesar de não ser muito entusiasmado com a possibilidade de minha vida virar um filme – por acreditar que seria muito difícil, naquele curto espaço de tempo de uma ou duas horas, passar a mesma intensidade do livro –, percebendo o entusiasmo do Rodrigo e sua disposição em fazer um filme bem-cuidado, acabei topando.

A produção seria agendada para estar em todos os cinemas até 2013 e seria, de uma forma ou de outra, a reiteração incontestável do sucesso do livro.

Portanto, Rodrigo sairia a campo procurando nomes para a direção e o elenco. E eu curiosérrimo para ver quem entraria naquela aventura.

Capítulo 2
2010 | Inspiração pós-parto

Uma coisa é necessário frisar: muito embora obrigado a conviver diariamente com aquelas fofocas e lorotas movidas a ódio ideológico, nada disso diminuía a intensidade e a beleza da minha vida interior, agora amplamente magnificada pela recém-finalizada maratona literária, responsável por acionar minhas memórias emocionais, me levando a estados, vamos dizer assim, de arrebatamentos metafísicos.

Ainda não aquilatara o quanto minha estrutura havia sido revirada, alterada e reelaborada após o término do livro, até que, uns dias após a entrega do texto final, fui fazer uma visita de despedida ao meu querido amigo e guru psicodélico Ezequiel Neves, que viria a nos deixar muito em breve. E, com aquela visita, se abateria sobre mim um espírito de contemplação, tristeza e perda a invadir minha alma.

Já sabendo de antemão que não poderia alterar mais nada em relação ao livro, percebi que estava entrando em fase de composição. Alguma coisa me gritava por uma canção de "aproximação" com meus amigos que se foram. E foi justamente ao saber da morte de Ezequiel que esse dispositivo de "aproximação" foi acionado.

Escrever sobre os acontecimentos da minha vida me trouxe à tona uma série de emoções fortes em relação aos meus amigos queridos; muitas saudades, muito amor, muita cumplicidade, e foi assim que nasceu minha primeira canção escrita em São Paulo, sob o impacto da escrita do meu primeiro livro e de todas as minhas memórias: "Das tripas coração".

Ela nasceu numa manhã ensolarada, quando soube da morte do Ezequiel, e deve ter me custado algumas horas entre o violão, a guitarra, a caneta e o caderno. Comecei a compor na guitarra, mas, como estava muito cedo, mudei para o violão por causa do barulho.

É uma canção bastante simples, cuja feitura foi engendrada na forma de compor mais rara para mim: a letra e a música saíram ao mesmo tempo, uma ideia musical complementando a ideia do texto. Ora a letra sugerindo os acordes, ora a melodia sugerindo uma frase.

Uma catarse nascida de outra catarse. Uma canção nascida de uma história colocada num livro.

Uma satisfação imensa me invadiu quando executei pela primeira vez aquela canção, uma espécie de inconsciência me dizia que aquilo era a felicidade. Aquele momento resgatado de tanto sofrimento era a felicidade!

E, assim, em mais um rito de passagem, em meio a uma constelação de afetos conflitantes, eu também me ensinava a usufruir a felicidade através da exploração e da experiência.

A saudade e a vontade de estar com meus amigos, de me aproximar de meus amigos Júlio Barroso, Cazuza e Ezequiel, me trouxe momentos poderosos de aproximação e felicidade.

Esse momento tão especial que me concedeu parir "Das tripas coração".

E "Das tripas coração" é dedicada a esses três amigos.

Ainda deu tempo de inserir a letra no livro e decretar que ela se tornasse uma espécie de prólogo musical da minha biografia.

Das tripas coração

Quem foi que disse a você, quero saber,
Que perder é o mesmo que esperar?
Quero saber quem é que vai ficar tranquilo, perdido
na beira do abismo, sangrando?
E se você pudesse ter alguém, de joelhos aos teus pés
A pedir o teu sinal,
Sussurrando todo o seu calor na tua orelha,

Procurando por uma palavra que não fosse em vão,
Que fizesse você compreender...
Que eu abandono meu lugar
Rasgando as veias,
Derramando meu amor
Pelas areias.
Anuncia um lindo sol radiante:
A última alvorada em teu semblante,
E na perfeição de um céu sem sombras
A gente vai se encontrar.
E das tripas coração... mais uma tarde
Pra levar o meu amor pra eternidade.
Meu amigo, por favor me aguarde, que a gente vai se encontrar.
Quem é que vai zombar desse deus trapaceiro nesse Rio de Janeiro?
Quem é que vai anunciar a próxima atração?
E uivar pra lua cheia
A gargalhar dos tormentos do mundo?
Quem é que vai ficar sorrindo,
jogando palavras ao mar,
Vendo a terra toda estremecer?
Quero saber quem é que vai guardar
Toda essa dor
De ficar,
sozinho, no convés, sem a tripulação?
Sou eu...
Que abandono meu lugar rasgando as veias,
Derramando o meu amor pelas areias.
Anuncia um lindo sol radiante:
A última alvorada em teu semblante,
E na perfeição de um céu sem sombras
A gente vai se encontrar.
E das tripas coração... mais uma tarde
Pra levar o meu amor pra eternidade.

Meu amigo, por favor me aguarde, que a gente vai se encontrar.
Que a gente vai se encontrar.

Movido àquela alegria, ao acabar de compor um prólogo musical para o livro, me convenci a compor um epílogo musical, um tributo à nossa chegada a São Paulo. Uma canção que resumisse toda a nossa alegria, somada à minha vontade de acreditar que a cidade ainda respirava rock, vida noturna, movimento, ação!

Como já estava havia alguns anos trabalhando e habitando a cidade, tinha uma noção mais cética de que a cena cultural já não se comparava aos idos dos anos 1970, com aquela vibrante atmosfera psicodélica de rock em todos os cantos, a rua Augusta, a Pompeia, a Cantareira, as bandas pululando por todos os lados, Os Mutantes, Tutti Frutti, Som Nosso de Cada Dia, Quarto Crescente, Scaladacida...

Uma atmosfera de empobrecimento conceitual/comportamental se abatia sobre a noite, embora muitas bandas de todo o país ainda optassem por vir morar e atuar na cidade. Bandas como a gaúcha Cachorro Grande, o Vanguart, de Mato Grosso, a Pitty, da Bahia, e outros tantos davam ainda uma sensação de esperança de que um movimento mais relevante poderia acontecer dessa cena.

E essa espécie de *wishful thinking* poliânico ainda perseverava teimosamente pelos nossos primeiros anos de adotados paulistanos, quando frequentávamos assiduamente a Augusta, zanzando de bar em bar, de show em show, onde podíamos nos divertir, beber, trocar ideias com os amigos, apesar da nítida dispersão de foco e de vontade de fazer a coisa acontecer. Não percebíamos que vivíamos uma transformação cultural, uma mudança de paradigma comportamental e político.

O rock naquele momento não era mais uma opção.

E foi nessa zona fronteiriça, entre a vontade de inaugurar novas eras e a realidade triste da perda de força de uma cultura, que acabei por compor "Song for Sampa" como se fosse uma espécie de visita da saúde a um moribundo.

E de um adeus travestido de chegada nasceu o epílogo dessa primeira parte da bio.

Song for Sampa

Eu ainda nem senti
O que faz você brilhar
E os automóveis passam pelas ruas
Caminhando com ninguém
A cidade ao meu redor
Eu quero um alento para um recomeço
E vai acontecer eu vou te encontrar
Pra gente sair, sonhar feliz pelas noites sem luar
E de que vale o céu se a nebulosa de faróis
Vem me dizer que isso é pra sempre
Passageiros no metrô
Rua Augusta e rock'n'roll
Eu penso, essa é a minha cidade
Eu jamais vou te esquecer
Eu sempre vou te amar
Mesmo em algum tempo depois do futuro
E vai acontecer eu vou te encontrar
Pra gente sair, sonhar feliz pelas noites sem luar
E de que vale o céu se a nebulosa de faróis
Vem me dizer que isso é pra sempre.

E com essas duas canções acabadas, pude iniciar minha primeira aventura experimental de gravar todos os instrumentos no meu estúdio caseiro.

O resultado estava longe do que exigiria numa produção musical de excelência, mas as ideias, os arranjos, a formatação das músicas, a execução e a interpretação me satisfizeram bastante.

Meu pai apareceu num choro

Como não acreditar num processo de cura e de revelação diante de tantas transformações criativas? Minha cabeça estava borbulhando de ideias e meu coração, cheio de entusiasmo.

Parecia que minha história estava livre para me habitar de novo, para que eu a pudesse frequentar de novo, que eu pudesse me frequentar de novo, após tantos anos de engavetamento estratégico. Podia, então, visitar sem medo nem rancor toda aquela ciranda de fatos e episódios por tanto tempo evitados.

E foi nesse espírito de reconciliação com minha história que surgiu outra saudade inesperada a gritar: a complicadíssima e dolorosa história com meu pai.

O processo de escrita empreendida nesses moldes é um verdadeiro psicodrama, e, com esse *insight,* pus-me a engendrar uma aventura que me assolou de forma, a princípio, relutante: escrever uma canção para meu pai.

A próxima canção surgiria de um desejo meio prosaico e despretensioso de conseguir compor uma letra no teclado do computador, sem o uso de caneta e de muitos cadernos e blocos ao meu redor (como tenho uma caligrafia horrorosa, preciso anotar e copiar logo em seguida em outro lugar para poder entender o que estou escrevendo).

Numa determinada manhã, decidi que faria uma música na viola caipira, coisa que ainda não havia tentado até então.

Imaginei me valer de sua afinação e sonoridade, características para desenvolver um tema mais para o modal, com aquelas conclusões de inspiração nordestina. Mas, para minha surpresa, logo quando pego no instrumento, minha ergonomia da mão esquerda age de forma allankardéquica e monto um acorde bastante dissonante, muito fora das características do instrumento, que veio a me chamar a atenção.

Elaborei o desenvolvimento harmônico do primeiro compasso e aquilo me parecia mais... um choro!

A viola caipira afinada em ré maior nos proporciona uma série de inversões nos baixos dos acordes, transformando uma sequência harmônica banal numa bela e sofisticada sonoridade.

Achei muito curioso um instrumento com vocação modal tão definida me levar para uma região tão diferente de seus recursos naturais.

Sendo assim, investi com tudo nesse choro que surgia, numa atmosfera de devaneio, introspecção e nostalgia em sua primeira parte, para uma sequência de acordes maiores com o baixo ascendente, que exalavam uma alegria esperançosa, onírica, ascensional.

Um choro de duas partes e um pequeno *intermezzo*. Lá estava ele, nascido de uma mãe tão improvável: a viola caipira me dando a sensação de uma acidental e deleitosa simbiose de estilos que revelava uma possibilidade real de terminar numa singela canção.

Com esse material de trabalho nas mãos, só me restava cumprir o meu desafio (um tanto comezinho) de compor uma letra teclando no computador (fato esse que imaginava ser muito além das minhas possibilidades).

Repetia incessantemente a sequência na viola, já com uma melodia que cantarolava incipientemente no intuito de buscar algum tema de letra que pudesse exprimir toda a gama de humores, sugestões e insinuações sensoriais que aquele esboço me pedia, e, para minha surpresa, logo começou a brotar na minha cabeça uma palavra: PAI.

Fiquei muito constrangido e assustado em pensar na possibilidade de fazer uma música para o meu pai.

Verifiquei que, apesar de o livro ter me ajudado muito a curar aquelas feridas todas, estava bem claro que ainda não estavam completamente saradas.

Ao mesmo tempo que relutava com a ideia, fui inundado por uma saudade intensa dele. Um turbilhão de lembranças começou a emergir da minha memória: ele montando aqueles aviõezinhos com uma perfeição quase mágica; trazendo da sua oficina motores de carrinhos de autorama, todos preparados por ele. Sua figura meticulosa e concentrada desenhando barcos; pintando minha bicicleta; tentando inventar uma bateria eletrônica em chapas de metal com o intuito de se ver livre do barulho que eu fazia e, assim, me deixando fascinado com sua engenhosidade inventiva e pioneira; ou seu lado cômico, dando mergulhos esdrúxulos na piscina (adorava dar pulos em pose de cupido, correndo do fundo do jardim e, ao pular, fazendo uma flechadinha ridícula com os braços, anexado de um biquinho demente, e todos morriam de rir das suas palhaçadas).

Também havia sua verve heroica: me salvou de um afogamento estúpido quando, aos meus 3 anos de idade, decidi que nadaria no fundo (inspirado na série submarina de TV do personagem Mike Nelson), mesmo sem nunca ter aprendido (fiquei mais de um minuto submerso e ainda me lembro da silhueta do meu pai aparecendo na superfície e mergulhando para me retirar da água).

De repente, me vi varado de amor.

Já estava mais que convencido de compor uma música para ele, mas me faltava um gancho, um terreno, um cenário, um universo, uma metafísica. E acabei buscando esse universo na teoria do entrelaçamento quântico, um fenômeno que preconiza a ligação de dois ou mais objetos unidos de maneira tal que não possam ser corretamente descritos sem que sua contraparte seja mencionada, mesmo que os objetos estejam separados por milhões de anos-luz. E esse fenômeno foi batizado por Einstein com o poético nome de "ação fantasmagórica a distância".

Pronto! Tudo estava em seu devido lugar. Com o terreno inventado, nasceu o universo da canção.

Tive esse forte sentimento de que, onde meu pai estivesse, a partir de então, seríamos um só. E era fascinante pensar que engendraria poeticamente uma reconciliação póstuma depois de tantos anos e que pudesse também desvendar a possibilidade de uma união feita de um amor tão profundo que, através dessa canção, iria resgatá-lo da dor, da morte e do inferno.

Esse esboço musical híbrido, quase por acaso, e muito por necessidade, agora com vida própria, seria uma espécie de teletransporte quântico, um teletransporte metafísico, um entrelaçamento feito de poesia e música. E assim nasceu "Ação fantasmagórica a distância", um choro feito numa viola caipira, passado num universo quântico, que, para muito além de ser um simples tributo à memória de meu pai, seria, a partir de então, um dispositivo construído de harmônicos e carinho, uma máquina do tempo e do espaço e do céu, e naquele universo criativo estaremos juntos. Para sempre.

Ação fantasmagórica a distância

Vou te contar
Como tenho feito nesse tempo pra
Não gritar
Toda a falta que eu sinto
Daquelas coisas pequeninas
Que a gente tentava viver
Mesmo com as brigas
Mesmo longe de você.
Não vou deixar
Que alguma coisa impeça de você
Me habitar
E viver comigo toda a minha vida e além
Numa espécie de ação fantasmagórica
Onde poderemos ser um só
E ser o Amor e botar toda a conversa em dia e rir
De toda a dor
Que a gente por bobagens passou
E brincar e viver todos os nossos sonhos
Sem a distância,
Para nos maltratar
E enfim,
Concordar
E enfim,
Desfrutar
E enfim,
Um só.

Capítulo 3

2011 | Lino, sexy & brutal

Minha mãe

É curioso perceber que esse sentimento profundo de resgatar meu pai, onde quer que ele esteja, se estendeu também, quase que por uma ordem natural das coisas, para minha mãe. Mas eu estava forçando a barra... Não era bem uma ordem natural das coisas.

Numa manhã logo após a feitura da "Ação fantasmagórica a distância", me postei diante da escrivaninha com o violão no colo, animadíssimo por repetir a dose epifânica de reaproximação acontecida com meu pai. Produzi uma sequência harmônica no meu Del Vecchio Seresta (uma réplica do violão que fora da minha mãe e que comecei a tocar aos meus 6 anos).

Aguçava meus sentidos desfrutando proustianamente o cheiro da madeira do violão, o mesmo do violão primordial, acariciava os pompons das cordas de aço (as cordas Canário). Tudo aquilo me enviava a lembranças primevas da minha vida: eu tentando montar meu primeiro acorde, empurrando os dedos da mão esquerda com os da mão direita, no afã de moldar um lá maior no braço do instrumento. Minha mãe tocando o violão e fazendo aquele tic tic das suas "unhas feitas", enormes, inexequíveis, batendo nas cordas e nos trastes, travando o som e me deixando maravilhado com aquela mistura de impedimento pela vaidade feminina (as unhas) e um estoicismo maternal em, mesmo assim, com toda aquela parafernália colorida nas unhas, tocar com empenho e doçura um sambinha de harmonia ultrafacilitada e banal para mim, com toda aquela mímica ao mesmo tempo hesitante e diligente.

Pois bem, acabei compondo uma canção que, naquele momento, me encheu os olhos d'água, e pressenti que triunfara no meu segundo intento de tributo, redenção e amor.

Aproveitei o ensejo e gravei a canção com sua melodia e letra prontas, trêmulo de ternura.

Entretanto, para minha decepção e tristeza profundas, quando fui ouvi-la pela manhã no dia seguinte, constatei terrificado que aquilo não passava de uma encenação, uma homenagem postiça impelida por um sentimentalismo histérico, uma lorota movida a autocomiseração, ou um narcisismo emocional. Algo como estar envaidecido por poder amar alguém que não poderia imaginar amando assim através de um dispositivo tão acessível, que eu imaginava ter inventado, por ocasião do tributo genuíno (e fortuito) a meu pai. Por tal desatenção, eu não percebera quão especial tinha sido esse momento e que jamais poderia usá-lo como molde para posteriores explorações.

Foi muito doloroso perceber que as coisas não são tão simples assim. Que, por terem vida própria, elas também podem te denunciar, te flagrando em determinadas tentativas de atalhos emocionais ou pequenas trapaças ritualísticas.

Aprendi naquele instante que inspiração, memória, honestidade e amor têm de brotar amalgamados, num pacote. Se você quiser amenizar seu conteúdo, vai receber em troca uma lorota, uma encenação canastrona, um simulacro mal-acabado de seu vazio.

Uma lição amarga que me ensinou a esperar com humildade o momento certo. Seja o tempo que for a espera. Que seja nunca. Mas que se aceite, com o devido respeito ao fado, a possível impossibilidade.

E só assim nós deixaremos a porta aberta, para quem sabe um dia a beleza dar o ar de sua graça outra vez.

Sempre que posso, tento me lembrar da minha mãe, tento resgatá-la, mas ainda não aconteceu o processo ocorrido com meu pai. Como anseio por isso. Mas aprendi que hei de aguardar sereno acontecer... ou não.

É irônico constatar que, com um histórico de muito mais proximidade, intimidade e afetividade com minha mãe, esteja eu ainda tão distante dela. Muito mais distante do que desejaria.

Mas, de grão em grão, o coração vai se reabastecendo do amor derramado, e o simples fato de estar aqui, pensando na minha mãe, com carinho, certamente já me deixa um pouquinho mais próximo dela, de verdade.

E é assim que devo agir, e é assim que a vida se revela, e é assim que minha busca se torna ausente de ansiedade.

Portanto, à vida!

Preciso entender de política

Sempre fui uma anta política.

Desde que cheguei a São Paulo, meu interesse só crescia por saber as causas reais das minhas decepções com o PT, somadas a todas aquelas narrativas "oficiais" sobre nossa história recente do Brasil, as quais, por sinal, estava saturado de ouvir.

Sabia que tamanha decepção não se confinava apenas ao fato de estar havendo mais corrupção do que nunca, mas, como meu interesse por política sempre fora ínfimo (repito mais uma vez: eu acho política um assunto chatérrimo), deveria, assim, pagar o preço da minha ignorância voluntária.

Todas aquelas idiossincrasias das medidas doutrinárias do PT estavam me deixando intrigado e muito irritado. O clima de retaliação com o período militar, aquela nostalgia mórbida e rançosa, nada daquilo me deixava tranquilo, e, sendo assim, pus-me a estudar com mais profundidade o assunto.

Comecei minha averiguação histórica pesquisando os episódios da Guerra Fria, o comunismo no mundo, a Revolução Cubana, a Revolução Cultural Chinesa etc...

Em seguida, passei a ler livros de cunho liberal e conservador que conseguia obter nas livrarias (naquela época era bem mais raro encontrar esses livros) e, após participar do Fórum da Liberdade, em Porto Alegre, ganhei de presente um clássico do pensamento liberal, o romance da filósofa e escritora russo-americana Ayn Rand, *A revolta de Atlas*.

Em seguida, parti para a leitura de autores da escola austríaca – principalmente Ludwig von Mises (*The Anti-Capitalistic Mentality*, *Marxism Unmasked: from Delusion to Destruction*), Friedrich Hayek (*The Road to Serfdom*) e autores ensandecidos como Walter Block (*Defendendo o indefensável*) – e, após um show em Campina Grande, na Paraíba, recebi de presente meu primeiro livro de um conservador icônico: *Ortodoxia*, de Gilbert Keith Chesterton.

Sendo eu uma flor de obsessão, passei a adquirir todos os livros desses autores e a lê-los com fervor e diligência, descobrindo um ideário do qual percebia compartilhar com muito conforto e harmonia de muitos daqueles cânones liberais/conservadores que nos eram tão escondidos no cenário intelectual brasileiro. Afinal de contas, sou uma criatura pretérita, refratária a maneirismos, incapaz de usar gírias da moda, amante das línguas mortas e missa em latim, que passou a vida inteira procurando um amor eterno e veio a encontrá-lo na Regina, minha mulher com olhos de farol.

E essa bagagem de informações de grande relevância foi se somando aos meus trabalhos de pesquisa na internet, onde vasculhava documentários, livros censurados escritos por militares considerados malditos, como o *Bacabá II*, de José Vargas Jimenez, o Chico Dólar (que haveria de cometer suicídio em 2017 e com quem eu travara uma extensa correspondência eletrônica por um ano inteiro, recebendo seu livro pelo correio).

É sempre bom salientar que, sendo eu um amante de aventuras formidáveis e tendo experimentado uma série industrial de drogas pesadas, nunca me faltou a liberdade em experimentar seja lá o que eu achasse digno de minha curiosidade.

Obtive também o *Mata!*, do Leonencio Nossa, sobre o major Curió e as guerrilhas do Araguaia, assim como também aquelas edições explosivas que continham denúncias recentes contra a esquerda em geral, e, em particular, *O chefe*, de Ivo Patarra, retirado de circulação, censuradérrimo, e que tive de fazer um tremendo esforço para adquirir um exemplar.

Consegui achar ainda o excelente e revelador *Camaradas*, de William Waack, também um livro muito difícil de encontrar em livrarias. De Antonio Paim, o *Marxismo e descendência*, livro seminal de um dos maiores filósofos brasileiros vivos, analisando e dissecando toda a estrutura do marxismo.

Não mais estava apenas decepcionado por me sentir traído por um partido que não cumprira a promessa de ser honesto e ético; acabara de perceber que a trama era muito mais complexa e que envolvia uma série de outros fatores, que até então ignorava solenemente.

Em suma, concluí que o projeto petista tinha todo o parentesco do mundo com o bolivarianismo e com o regime cubano (muito embora ainda não tivesse ouvido falar do tal Foro de São Paulo).

E quanto mais aprendia sobre todo aquele caldo de informação e pensamento reprimido, mais aumentava a repulsa e a intolerância da esquerda em relação à minha nova postura.

Não os culpo.

Devo ser um adversário bastante incômodo mesmo.

Assim, passei a conviver com os mais variados tipos de escaramuças da tal mídia de aluguel do PT, dos seus blogs, revistas e jornais pagos com dinheiro público para tentar silenciar ou denegrir qualquer voz dissidente ao regime petista com suas evidentes falcatruas, todas elas perpetradas em nome de um bem abstrato, de uma benevolência telescópica ideologizada, cínica e picareta.

Vamos gravar um DVD/CD elétrico e ao vivo?

Com o retumbante sucesso de vendas do *50 anos a mil*, consegui angariar uma razoável soma de dinheiro que imediatamente seria colocada a serviço de um outro projeto em marcha: gravar um DVD/CD ao vivo com a banda nova para exorcizar de uma vez por todas a fase acústica.

A princípio, não me senti lá muito entusiasmado com a empreitada, pois estava já em modo de composição, e, pela ordem natural das coisas, seria mais interessante aguardar os frutos daquele período eclodirem, mas acabei convencido pelos meus amigos e companheiros de banda que um DVD eletrificado era algo inédito em minha carreira (o DVD do *2001: uma odisseia no universo paralelo* havia sido abortado), além de o nosso show estar soando maravilhosamente bem, com uma banda excepcional, repertório com dinâmica perfeita e interações poderosas com as plateias.

Havia também a presença de Luiz Carlini, nosso grande *guitar hero* brasileiro e um de meus heróis particulares, a excursionar conosco. Portanto, motivos não faltaram para que eu arregaçasse as mangas e colocasse aquele projeto em curso.

O repertório foi minuciosamente elaborado em sua dinâmica, ordem e canções, quando Carlini me sugeriu interpretar "Ovelha negra", me dizendo algo como: "Ninguém mais ovelha negra da MPB do que você, Lobão".

E, para meu espanto, aquele achado caía como uma luva na relação da letra da música e minha própria história. E logo numa canção tão emblemática, tão arquetípica, tão a cara da Rita Lee...

Para mim, Rita Lee e Tutti Frutti, até mais que Os Mutantes, em certo sentido, eram o retrato de tudo o que poderia esperar de uma banda de rock brasileira, que poderia me representar com todo o orgulho em qualquer parte do mundo, e ter o Carlini me sugerindo o maior hit da banda me causara uma emoção indescritível.

Com o repertório ensaiado, fiz questão de alugar a melhor unidade móvel de gravação. Alugamos o finado Palace (eu sempre me confundo com essas caixas de show com esses nomes de cartões de crédito e companhias de telefonia com *hall* no final) em meio ao Rock in Rio e cometemos um show épico, com mais de três horas de duração, com três retornos triunfais ao palco, com o público ainda pedindo um quarto bis.

Por conta de todo aquele arrebatamento, minha última fala (já um tanto bêbado), após três horas de show, nos últimos acordes de "Corações psicodélicos", seria "Aê, rapaziada! Muito obrigado! Foi lino! Sexy! E brutal! Tchau!".

Um só show gravado, um show memorável, com material de sobra para um DVD, algo que realmente faltava na minha carreira.

E só poderia haver um nome para ele: *Lino, sexy & brutal.*

O material gravado seria tratado com todo o rigor que merecia. A edição e pós-produção do vídeo foi realizada no estúdio do André Caccia Bava, a mixagem ficou a cargo de Maurício Cersosimo e a masterização foi feita nos estúdios de Abbey Road.

A repercussão? Praticamente nenhuma.

Apesar da indiferença, a turnê de lançamento nos rendeu uma série de shows memoráveis, assim como um convite para tocar num festival que já tinha uma história de experimentalismo com foco principal na música independente no cenário internacional: o Lollapalooza.

Quando me convidaram para tocar às duas horas da tarde, pedi que ao menos nos colocassem ao cair da tarde, para que pudéssemos fazer um bom uso da luz do nosso show, que era parte integrante da performance. Negado.

Eles sempre te convidam para esses festivais internacionais como se estivessem fazendo um imenso favor, e, nesse clima de caridade, o sujeito me alertou que "era pegar ou largar", que não havia como me reagrupar em outro horário etc. e tal.

Eu agradeci comovido e pus-me a fazer uma campanha na internet para que todos os grupos brasileiros começassem a recusar esses "convites", pois há uma lei que proíbe esses festivais de serem realizados em terra brasileira sem atrações nativas. É claro que sabia ser inútil semelhante ardil, mas deixei minha assinatura, pelo menos.

O mais surreal desse episódio ficou por conta de uma entrevista coletiva concedida pelo Perry Farrell, pai do festival, que havia negociado o *franchising* para uma outra empresa e nos brindou com uma declaração tão absurda quanto o silêncio das dezenas de jornalistas presentes.

Quando perguntado sobre minha recusa, Farrell olhou para uma das câmeras e se dirigiu a mim, que deveria supostamente estar atrás dela, proferindo algo assim: "Lobão, quando você tiver pelo menos um hit em sua bagagem, aí, sim, você poderá exigir tocar como *headline*(!)."

Por um instante, imaginei ingenuamente que haveria de ter pelo menos uma alma com o mínimo de coragem para esclarecer de imediato ao senhor Farrell que o tal do Lobão havia cometido pelo menos umas três dezenas de hits nacionais e, se fosse realmente esse o motivo colocado pelo *crooner* do Jane's Addiction, eu deveria fechar o festival com trombetas, trovoadas e chafarizes com jacarés a esguichar arco-íris pela boca.

Mas, como não poderia deixar de ser, o espírito de capacho de *rendez-vous* de Terceiro Mundo prevaleceu: silêncio ensurdecedor no recinto da coletiva televisada.

Àquela altura do campeonato, tocar ou não tocar, lançar ou não lançar discos não seriam mais a questão, no meu caso.

Já vendia mais livros que CDs.

Assino com a Band para fazer *A liga*

No final de 2011 eu também retornaria à televisão assinando contrato com a Band para integrar o grupo de jornalistas investigativos e apresentadores do programa que estava alcançando altos índices de audiência: *A liga*.

A Band estava sob nova direção. O grupo argentino Cuatro Cabezas dominava toda a grade de programação da emissora, e eu ignorava solenemente que se tratavam de kirchneristas ferrenhos, rapazes de esquerda com os quais teria de conviver nessa próxima jornada, fato que me proporcionaria aventuras incríveis através dos programas, além de uma subsequente perseguição voraz, logo após eu rescindir contrato com a emissora.

Mas isso só aconteceria em 2012.

Biografia de Lobão vai virar filme

Começou a pipocar na imprensa a notícia de que o *50 anos a mil* viraria filme.

É curioso perceber que, em todos os espaços dedicados à notícia, ocorreu sempre aquele erro em dividir a autoria do livro.

A revista *Noize* não foi uma exceção: "A vida de Lobão vai virar filme. A autobiografia do rock star, *50 anos a mil* (editora Nova Fronteira), escrita por ele e pelo jornalista Cláudio Tognolli, será adaptada para as telonas."

Na *Rolling Stone*, a mesma ladainha, na reportagem "Vida de Lobão nos cinemas": "Escrito por Lobão e pelo jornalista Cláudio Tognolli, o livro conta, em um volume fartamente ilustrado, a história do menino que queria ser jogador de futebol e padre, mas acabou se transformando em um dos grandes nomes do rock brasileiro."

A mesma informação errada foi postada no site *Omelete,* com a manchete "Lobão: cinebiografia contrata diretor": "*Lobão: 50 anos a mil*, a biografia do roqueiro Lobão, está virando filme, e José Eduardo Belmonte (*Se nada mais der certo, Meu mundo em perigo*) será o diretor." E segue o texto: "Segundo o produtor Rodrigo Teixeira, da RT Features, que está realizando também a cinebiografia de Tim Maia e comprou os direitos do livro escrito por Lobão com o jornalista Cláudio Tognolli, o nome de Belmonte – que atualmente finaliza *Billi Pig* – já está confirmado."[1]

Um *insight* mortal: a Semana de Arte Moderna nos condena ao nanismo eterno. O Brasil é a Terra do Nunca!

Já pelos idos de 2011, começava a estudar com mais afinco e determinação sobre a Semana de Arte Moderna de 22, tentando desvendar essa nossa tendência inexorável à paralisia, à postergação, à preguiça, assim como a nos orgulharmos de nossos piores defeitos, a nos defendermos de nossa precariedade com um orgulho rútilo, inebriado e inexplicável, toda a nossa inépcia.

Deveria haver um *missing link* para isso tudo. Ou será que sempre fomos assim desde o começo?

Penetrei com diligência nos livros de Mário e Oswald de Andrade e em uma vasta bibliografia sobre o assunto, no intuito de fazer uma espécie de cartografia do nosso eterno fracasso como projeto de civilização brasileira.

E, numa manhã ensolarada de outono de 2011, me veio à cabeça empreender um manifesto. Um manifesto de alguém definitivamente fora de sintonia com o grupo cultural de seu país, alguém que já havia se declarado como Nada numa canção ("El Desdichado II"), que havia elevado o Nada a uma categoria solidamente fantasmática.

E, muito distante de uma suposta autoeliminação (*"Eu sou Nada e é isso que me convém"*) e através dessa antipersona, o Nada, iria iniciar mais uma maratona literária cometendo meu segundo e explosivo livro: *Manifesto do Nada na Terra do Nunca*.

Mas isso viria junto com outras tantas atividades...

Capítulo 4
2012 | *A liga*

Iniciei as gravações do programa *A liga*, dignas de qualquer Indiana Jones, no meio da pós-produção, mixagem e masterização do *Lino, sexy & brutal*. Essa aglutinação de funções transformaria minha vida numa maratona alucinante.

Parecia que esse convite em participar de *A liga* havia caído como uma luva! E, sob vários aspectos, literalmente encarei todas as durezas e agruras da produção de um programa que primava por incluir os apresentadores (Débora Vilalba, Sophia Reis, Thaíde e Cazé Peçanha) em todos os contextos das pautas em questão.

A intenção era fazer com que nós experimentássemos o mais intensamente possível todas as situações expostas, por mais dramáticas, insólitas ou até mesmo repugnantes que fossem.

Cada programa era uma preciosa oportunidade para vivenciar os inúmeros universos da realidade brasileira: violência familiar; mudança de sexo; como se encontravam as famílias das vítimas do massacre de Realengo; vida nos hospícios; vida de travestis; mundo sertanejo universitário; vida num garimpo no coração da selva amazônica; ou um dia atuando numa equipe de atendimento de emergência do Samu. Portanto, eu haveria de estar bem-preparado física e emocionalmente para mergulhar de cabeça naquelas situações extremas.

Cheguei a passar um período internado em tempo integral num hospício, dividindo com os pacientes seus problemas, seus dramas, suas histórias, suas limitações, seus passatempos. Participei também de todo o ritual de montagem de travestis, para, em seguida, acompanhá-los nas calçadas da madrugada paulistana, entre as mais surreais cantadas, crack, cocaína, insultos dirigidos a eles. Vivenciei como um garimpeiro a extração de ouro em plena selva, entrei numa unidade do Samu e participei das emergências nas ambulâncias, vi de perto as consequências e os estigmas pelos quais passam pessoas que optaram trocar de sexo.

Tudo isso me cairia, sim, como uma luva, não só pela aventura em si, mas pelo fato de estar iniciando a jornada da escrita do *Manifesto do Nada na Terra do Nunca*, e esse mergulho tão vasto, profundo e abrangente na realidade brasileira me traria um conhecimento e uma experiência fundamentais para entender mais o país, ao interagir e experimentar inúmeros aspectos das mais variadas ocupações, dramas, ofícios e comportamentos da vida dos brasileiros.

Contudo, minha relação com os produtores argentinos ia de mal a pior.

Eles maltratavam as equipes e exploravam os estagiários, que eram trocados como ferramentas descartáveis a cada mês, de forma que só consegui fazer uma amizade por lá: meu querido Rondon (brasileiro), a pessoa com mais experiência, domínio da situação e sensatez de todo o projeto.

Os horários eram agendados de maneira caótica e aleatória, e, na maioria das vezes, você era chamado para estar no set de filmagem com apenas duas horas de antecedência.

Isso tudo acontecendo junto com meu projeto de produção do DVD/CD a pleno vapor.

Logo nas gravações iniciais surgiria o primeiro entrevero: eu estava no estúdio do meu querido amigo e guitarrista André Caccia Bava quando chegou ao local um dos argentinos (todas as equipes do programa eram lideradas apenas por argentinos), que deveria fazer a produção naquela tarde.

Com tempo sobrando para chegar ao set de filmagem e excitados por estar finalizando a edição de imagem de "El Desdichado", pedi a ele que aguardasse mais 15 minutos, convidando-o para acompanhar conosco, dentro do estúdio, os últimos arremates daquela faixa.

Estávamos empolgadíssimos com o resultado da edição, constatando efusivamente uma performance matadora da banda, interpretação dramática daquela música de atmosfera paroxística, som e imagens impactantes.

Naquele clima de alegria diante daquele resultado tão auspicioso, sugeri ao jovem portenho, a título de aproximação e cortesia, que se sentasse na cadeira central da sala de edição e desse uma escutada na faixa (até aquele exato momento, eu era crente que todo argentino curtia rock).

Para minha surpresa, o rapaz fez questão absoluta de mostrar um desconforto patente com o que estava ouvindo, revirando-se impacientemente na cadeira. Eu me senti um sequestrador de criancinhas! Como o clima ficou constrangedor, pedi ao André que parasse imediatamente a audição e adiantei nossa saída para o set.

Ao entrar na van da equipe de produção, pedi minhas desculpas por "alugar a orelha do cara com aquela barulheira toda", e ele me replicou dizendo que não era nada pessoal, mas que não conseguia ouvir rock, uma manifestação de imperialismo ianque(!), que ele acabara de chegar de Buenos Aires e, portanto, ainda estava se adaptando ao choque cultural e que, talvez por ele ter finalizado recentemente um PhD em Ciências Políticas, cujo trabalho final era uma tese sobre Che Guevara, deveria por certo estar sob o impacto daquela experiência reveladora.

E eu, na minha santa displicência, aproveitando a deixa, cutuquei: "Poxa, que legal, hein? Até que enfim já se pode estudar a patologia de um psicopata desses sem ter mais que pagar de 'perfeito idiota latino-americano'! Parabéns!"

Aquele rapazola magro, de cabelos avermelhados, se inchou na cadeira do copiloto da van, virou-se para trás visivelmente ruborizado e me retrucou, seca e veementemente, com algo assim: "Estudei anos a fio a história desse herói, não só da Argentina como também de toda a América Latina e de todo cidadão que não se curva ao imperialismo ianque."

Eu juro que não podia acreditar que alguém nesse mundo ainda pudesse se referir aos americanos como "ianques", portanto, nossa antipatia mútua se avolumava a olhos vistos.

"Uau! Imperialismo ianque! Essa você tirou do fundo da cartola, hein?", provoquei.

Por aquela eu não esperava e arrematei: "Sabe, o sul-americano é, antes de tudo, um ressentido, um invejoso. Che era um psicopata, assassino, torturador, narcisista, e admirar um traste desses é tão grave quanto ser fã de um Himmler."

Já estava me preparando para as vias de fato quando, por sorte ou por acaso, chegamos à locação das filmagens, onde o assunto se dissipou, mas estava muito claro que minha convivência com toda a ala argentina do programa seria altamente conflitante e só se agravaria com o tempo.

As coisas viriam a piorar muito.

O episódio da nossa ida ao garimpo foi a coroação, o ápice de uma pauta de conteúdo ideológico. Confesso que, até então, a expectativa da minha participação no programa era de cunho criativo, investigativo, atuante, de alguém que poderia criar situações, pesquisar eventos, rastrear comportamentos interessantes, curiosidades em geral, mas isso era completamente fora de propósito.

As pautas eram predeterminadas, os textos já previamente redigidos, sem a menor brecha para alguma inserção de qualquer fato mais diferenciado no formato.

O tal garimpo, às margens do rio Juma, em Manaus, era o único em funcionamento a ser legalizado, e sua "legalização" teve cerimônia no Dia do Trabalho, e com a presença de Lula. Portanto, *grosso modo*, nosso papel em estar lá documentando aquela "nova realidade" era de cunho estritamente propagandístico, chapa-branca.

Quando estávamos no meio da nossa viagem de Rural Willys 1962, após mais de três dias e três noites numa barcaça, no meio da selva, a milhas e milhas de qualquer vestígio de civilização, numa picada repleta de buracos, pontes feitas de troncos de árvores em estado de precariedade de causar arrepios, faltando percorrer ainda um trajeto de mais de 18 horas de viagem, viemos a testemunhar um espetáculo dantesco numa determinada parte do percurso: uma imensidão de mata em chamas. Quilômetros de inferno. Aquele cenário nos acompanharia por uns quarenta minutos, ao nosso redor. Fogo, fumaça, calor infernal e uma sutil advertência do argentino que liderava a equipe: "Lobón, nada de comentar sobre queimadas, ok? Viemos aqui falar do garimpo."

Eu retorqui argumentando ser uma oportunidade jornalística esplêndida, e que denunciar aquela mata pegando fogo seria algo importante. Afirmei que poderíamos até produzir um outro programa com aquele material etc.

Ao chegar do garimpo exaustos, cada membro da equipe se virou para arranjar um canto para dormir, e eu me enfurnei dentro de um alojamento de pesagem de ouro, onde pude finalmente amarrar minha rede e tomar um banho – demorou horas e horas para esperar ligar a bomba-d'água e, ao entrar no chuveiro ávido por uma gota d'água, encontrei uma aranha cabeludérrima, do tamanho de minha mão aberta, a centímetros da minha pobre genitália, que naquele exato momento corria intenso perigo. Depois de 15 minutos petrificado de pavor embaixo daquela antologia de gotas que saíam esparsas do cano, desabei na rede, morrendo de frio (a noite na selva é gélida) até o dia seguinte, apavorado com a possibilidade do soberbo e peludo aracnídeo me visitar em minha rede.

Logo pela manhã, eu iria mergulhar no garimpo e viver exatamente como um garimpeiro. Ao chegar ao garimpo propriamente dito, fiquei fascinado com o desterro da paisagem. Parecia que estava em Marte! Com o tamanho de vários campos de futebol, só havia terra vermelha, aos montes, escavada, devastada pelas picaretas e pelos tratores. Eram buracos enormes, cavados na mata virgem, piscinas prateadas contrastando com aquela terra vermelha. Tudo isso dava ao local um clima lúgubre de um cenário de ficção científica apocalíptica.

Aquelas piscinas de prata eram indícios claros do uso de mercúrio, altamente venenoso, e um dos requisitos principais para a suposta legalização do garimpo era justamente a não utilização do mercúrio.

Mais uma vez recebi a advertência do argentino de que deveria "ignorar" a presença de mercúrio no garimpo e focar "apenas na atividade dos garimpeiros", e que a equipe só filmaria regiões onde não pudessem ser expostas as imensas piscinas de mercúrio.

Mesmo assim, mergulhei numa daquelas piscinas para garimpar e ainda tive de aceitar uma castanha-de-caju que um garimpeiro diligentemente apanhou num de seus bolsos encharcados daquela água que mais parecia ter vazado de um termômetro.

Apesar da aventura toda ser de uma riqueza incrível para qualquer pessoa, aquela presepada cenográfica montada pela equipe estava me fazendo um mal terrível.

Havia me metido numa farsa cujo único intento era louvar uma medida absolutamente mentirosa de um governo, de um presidente, com o devido beneplácito de toda uma cúpula (argentina!) de direção de programas.

O governo deveria ao menos dar um financiamento graúdo para os valentes garimpeiros se equiparem com maquinário adequado, além de segurança para evitar toda aquela insalubridade e destruição, uma vez que os próprios garimpeiros me explicaram que com pás, peneiras, picaretas e máquinas obsoletas aquele garimpo era praticamente estéril, fato esse confirmado ao final do dia, extraindo a quantidade minúscula de 2,6 gramas de ouro. Foi a parte que coube a cada garimpeiro por aquele dia de trabalho, com um brinde extra de queimaduras de segundo grau por toda a extensão dos ombros, nuca e parte superior dos braços, só pela exposição ao mormaço.

O índice de insalubridade era magnífico! A expectativa de vida, reduzidíssima.

A maior diferença real para os outros garimpos é que, no Juma, não havia puteiro nem tiroteio. Mas seu funcionamento predatório e poluente era o mesmo.

E o que aconteceu? O programa foi ao ar envolto e editado sob toda aquela lorota ideológica, e eu guardei, arquivei os detalhes de toda a viagem, desde a chegada a Manaus, os três dias de barco pelos rios Negro e Juma, as condições sub-humanas de quem viajava na terceira classe da barcaça, seus tripulantes, o surgimento de uma canção que faria em tributo a toda essa viagem ("Assim sangra a mata"), o trajeto de quase vinte horas em uma Rural 1962 caindo aos pedaços, a estada de três dias no garimpo com o perfil de seus principais personagens. Falo sobre esse episódio no *Manifesto do Nada na Terra do Nunca* ("Viagem ao coração do Brasil"), onde também relato, em outro capítulo ("Uma pequena viagem no mundo sertanejo universitário [acidentalmente gonzo]"), um episódio tragicômico, quando ocorreu a ruptura total com o programa.

A tal perseguição diligente e sistemática desses argentinos kirchneristas enquistados na Band se manifestou assim que o livro foi publicado e se estenderia por um período de quase um ano durante o qual os ideológicos rapazolas portenhos inseririam meu nome em todos os programas da emissora, onde obrigariam seus apresentadores a formular pautas delirantes me achincalhando de todas as formas.

Colocaram volantes de programas como o *Pânico* e o *CQC* nas ruas, a me seguir por todos os locais que eu viesse a frequentar, como restaurantes, bares, festas, shows ou um simples passeio na avenida Paulista, para me filmar, sempre sob a argumentação singela de ser apenas "pura zoeira".

Capítulo 5

2012/2013 | *Manifesto do Nada na Terra do Nunca*

Uma coisa estava certa em minha cabeça: escrever um livro sobre a Semana de Arte Moderna de 22 e seus devidos desdobramentos, de como atua na mentalidade e no espírito brasileiros, de sua perpétua hegemonia, seria certamente meu passaporte definitivo para as margens do submundo.

Desde as aulas de português no "ginasial", me flagrava irritado com as explicações dos meus professores sobre os feitos da Semana de 22, sempre envoltos em um envaidecimento improvável, ufanista, permanentemente entrincheirados numa premissa provinciana de que finalmente atingíramos uma modernidade autóctone, uma linguagem e mentalidade únicas no mundo. E, para atingir esse objetivo, seria necessário quebrar os vínculos com a cultura europeia, com o patriarcado machista e opressor, com a civilização ocidental, com o beletrismo, a rima, o parnasianismo, com as salas de concerto e suas músicas aburguesadas, resgatando, desse modo, nossa verve exótica, balangandânica, primitiva, *naïve*, reinventando, assim, nossos mitos, exaltando a permanência de precariedade, as soluções escusas da malandragem, a pobreza conceitual, o desprezo pela tecnologia, algo como... pureza da gororoba.

Afinal de contas, aquela "modernidade" e aquela vanguarda estavam mais do que datados e estava mais do que na hora de haver uma renovada em todos aqueles conceitos que há muito se tornaram o academicismo que ninguém ousava contestar, a ortodoxia vigente com seus dogmas irrevogáveis e sacralizados, um cenário erodido e renitente que não servia para chocar nem provocar mais ninguém, repetitivo em suas propostas regurgitadas infinitamente.

Por todos esses motivos, decidi colher uma metáfora na terra do Peter Pan, a Terra do Nunca, onde as crianças jamais crescem, e a transportei para o Brasil, com sua vocação para uma existência estática, inerte e nulificante.

Sim! O Brasil era a verdadeira Terra do Nunca!

E foi nesse espírito de exploração e desvendamento do nosso maior tabu cultural que me lancei na aventura de escrever um manifesto que, segundo minhas expectativas, poderia, ao menos, se tornar uma gota de alternância.

Todos esses elementos naturalmente explosivos, somados às minhas experiências pessoais reveladoras (e com o belo auxílio da recente experiência de participação no programa *A liga*), transformariam o *Manifesto* em algo perturbador, escandaloso, insuportável para alguns e objeto de revelação, contestação e de aventura intensa para outros.

A Terra do Nunca é nossa recusa definitiva a crescer em detrimento de uma paralisia envaidecida.

Percebi que nossas medidas, opiniões, visões de mundo, decisões diárias, recorrências arquetípicas, tudo estava intrinsecamente ligado aos cânones da Semana de 22.

Apesar de o livro ser um ensaio de poucas páginas, haveria de me custar um amplo e robusto trabalho, além de muitos meses de pesquisa.

Como encontrei Olavo de Carvalho, Reinaldo Azevedo e Rodrigo Constantino

E foi justamente entre uma série de tópicos envolvendo itens como "Guerra Fria", "regime militar no Brasil e na América Latina" e "a hegemonia da esquerda na cultura brasileira" que descobri Olavo de Carvalho, por meio de um programa dele no YouTube chamado *True*

Outspeak, uma expressão que significa algo como "sinceridade de verdade", "verdadeira sinceridade" ou, em outras palavras, "papo reto".

O que me chamou a atenção, de início, foi a apresentação do programa – uma marcha com um nome bastante invocativo ("Pomp and Circumstance March nº 4 em sol maior", de Edward Elgar) –, seguida de uma oração: "Boa noite, meus amigos. Como sempre começamos o programa invocando a Santíssima Virgem Maria e o Santo Padre Pio de Pietrelcina para que roguem a Deus que nenhuma injustiça se cometa neste programa."

Fiquei mesmerizado com toda aquela solenidade anacrônica, envolta numa atmosfera de religiosidade espessa, improvável, galharda, almoxarífica, impondo aos espectadores uma espécie de pose cenográfica de um conhecimento jactante, a exalar mistérios de eras priscas e novidades impensáveis, guardados com esmero por aquele velhinho envolto em uma densa neblina de nicotina, em meio àquelas paredes repletas de livros, em meio àquele universo de papel.

Eu me encontrava diante de um ato de arte vanguardista, de tão insólito, extemporâneo, surreal, ousado e *naïf*! Aquilo tudo me soava como um extravagante, insólito e robusto ineditismo.

Demorei algum tempo para digerir aquela linguagem, tão estranha a tudo que já havia observado na internet, mas aquele senhor resoluto, desbocado, carismático, apaixonado, histriônico e detentor de informações formidáveis, inéditas para meus ouvidos, acabou por me cativar, gerando ainda mais curiosidade em torno de sua fala e sua obra.

E foi exatamente através do *True Outspeak* que ouvi falar pela primeira vez do Foro de São Paulo, fato que me causou uma profunda suspeição. Não era possível conceber que algo daquela natureza existisse com aquela magnitude de atuação e influência em toda a América Latina sem que houvesse sequer uma marola, um comentário, um lampejo de sua existência na mídia oficial. Portanto, devemos salientar que, lá pelos idos de 2012, falar sobre o Foro de São Paulo ainda era um tremendo tabu, mais uma teoria da conspiração do calibre de um chupa-cabra, da Terra plana ou dos homenzinhos cinzentos.

Minha curiosidade por Olavo não haveria de se resumir em assistir ao seu *True Outspeak*. Passei a procurar seus livros. E, para meu espanto, ser bem-sucedido em semelhante empreitada implicaria agir de forma furtiva, elusiva, pois em toda livraria que entrava, pelo simples fato de mencionar o nome Olavo de Carvalho, já provocava reações das mais estranhas nos livreiros, fato que me obrigou a atuar de forma muito semelhante quando subia o morro para adquirir estupefacientes ilícitos: "Aê, dá pra descolar um livro do Olavo?" E o atendente saía de fininho, certamente ávido por resgatar alguma obra dele no estoque da livraria.

Consumir os livros do Olavo naquela época era tão exótico e tão exclusivo quanto consumir as drogas mais pesadas saídas diretamente do projeto MKUltra, o famoso programa clandestino da CIA, usado em plena Guerra Fria.

Após meu primeiro périplo em busca de sua bibliografia, acabei conseguindo desenterrar das profundezas dos estoques três títulos (*O imbecil coletivo II*, *O jardim das aflições* e *O futuro do pensamento brasileiro*), que levei cuidadosamente para casa com zelo arqueológico, diligência e espírito de transgressão, exatamente da mesma forma que tratava a preciosa mercadoria estupefaciente adquirida no morro.

Decidi começar por *O jardim das aflições* e fiquei embevecido, emocionado, tocado pelo livro. Um livro realmente belo. Experimentei uma sensação muito especial de estar adentrando um terreno desconhecido, cuja existência muito poucos sabiam.

Naquela época, Olavo era *cult*, totalmente invisível e inédito para o grande público.

Ao iniciar aquelas pesquisas para o *Manifesto do Nada na Terra do Nunca*, acabei abrindo uma janela para horizontes jamais por mim vislumbrados.

Seria profundamente afetado por todo um mundo de novos autores, informações vindas de grupos nunca dantes explorados, novos encontros, novas amizades, novas possibilidades.

Naquele ano de 2012, despontava com força o nome de um jovem economista que estava lançando um livro muito importante e causando um grande tumulto, tanto na esquerda como (para meu espanto) na direita: Rodrigo Constantino.

O livro se chama *Privatize já* e foi um instrumento de grande importância para esclarecer com brilhantismo a mentalidade estatizante da economia brasileira, da própria opinião pública e minha também, que até então tratava o assunto como uma verdadeira heresia.

Após a leitura do livro, passei a acompanhar com profundo interesse os artigos de Rodrigo Constantino, seu blog, acabei me aproximando dele e passei a ler seus livros subsequentes (*Esquerda caviar* e *O brasileiro é otário?*).

Outro nome de importância que teve papel preponderante nesse limiar da oposição ao PT foi Reinaldo Azevedo.

Passei a ler seu blog na revista *Veja* todos os dias e, com toda aquela atmosfera política tão inesperadamente diferente daquela lenga-lenga monomaníaca de décadas sempre pendendo para o pensamento de esquerda, era inevitável respirar aliviado e repleto de entusiasmo, imaginando estar participando de um fenômeno altamente transgressor, ousado e inimaginável anos antes, e tudo graças aos desmandos, abusos e desacertos da administração petista.

Reinaldo também estava lançando um livro (*O país dos petralhas II*), e fiz questão de comparecer ao seu lançamento, numa Livraria Cultura absolutamente lotada, para adquirir meu exemplar autografado.

A sensação que se tinha era de haver um novo paradigma se instaurando na vida intelectual brasileira. Sensação absolutamente ingênua e infundada, diga-se de passagem.

Apesar de todo aquele movimento incipiente de uma nova cepa de cabeças pensando e repensando o Brasil, é necessário ressaltar que os índices de aprovação do então governo Dilma eram astronômica e assustadoramente altos.

Ainda havia uma oposição real, tanto no Congresso Nacional como na opinião pública, e se declarar um opositor ao PT ainda era um caso de execração pública e perseguição política ferrenha.

Portanto, me enfurnei no estúdio em casa e mergulhei a fundo nas obras de Oswald e Mário de Andrade para melhor entender como funcionava a cabeça daqueles dois que seriam os maiores líderes do movimento de 22.

Levei uns seis meses de leituras, anotações, notas e muita pesquisa para começar a escrever um livro que haveria de ser um misto de ensaio e episódios autobiográficos.

Se até então sempre havia vivido como marginal de uma cultura que chegava de vez em quando até ensaiar me tolerar, e havia me adaptado a ser visto dessa maneira, doravante encarnaria o papel de arqui-inimigo político e cultural a ser valentemente combatido.

Fato esse que não posso de forma alguma reclamar. Afinal de contas, eu sou o Nada, e isso me convém.

Capítulo 6

2013 | O alegre fim do meu Policarpo Quaresma interior

Mais uma vez lá estava eu me surpreendendo com tudo o que havia escrito, desfrutando revelações resultantes de outra viagem.

Mais uma vez teria que voltar novamente a reviver, além do passado, aquilo que também já escrevera sobre ele.

Não há como escapar de questionamentos quando nos afetamos por algo.

Por que cargas-d'água a tal Semana de 22 me causava tanto desconforto e irritação? Quais seriam os componentes, ou fatores, daquele evento que estariam me afetando tanto? Quais os reais motivos de tanta identificação dolorosa?

Munido dessas perguntas, voltei a mergulhar na memória, a procurar episódios reveladores, e logo de cara me confrontei com uma lembrança bastante emblemática: relembrei minha prisão, de quanto me senti "mais povo", "mais brasileiro", entrando em contato com meus colegas presidiários, com os problemas de suas realidades, de suas classes sociais, com suas diversas etnias.

Logo após minha soltura, passei a frequentar, com assiduidade, praticamente todos os morros cariocas, em particular, os morros da Mangueira e do Tuiuti. Ao fazer diversas amizades por onde passava, comecei a conversar e a filosofar com pessoas que detinham um conhecimento verdadeiro daquela rica cultura do morro, pessoas como meu futuro parceiro Ivo Meirelles. Perguntava a ele o que me fazia ficar tão alarmado e culpado por ver aquela rapaziada da favela toda cantando minhas músicas.

Apesar da alegria intensa em me sentir pertencido e reconhecido por aquelas comunidades, havia em mim uma sensação de usurpação, de inadequação, de poluição, de colonização cultural imposta por mim.

Ou seja: experimentava aquela angústia por legitimação devido ao meu condicionamento educacional, que tanto me vangloriava de ter sublimado e ultrapassado, quando, para minha surpresa, se manifestava praticamente intacto e tirânico naquele momento em que a realidade colocava em xeque aquelas "convicções".

O que estava percebendo é que, verdadeiramente, não considerava meu trabalho musical algo de real valor, de genuinidade, de autenticidade, digno de ser difundido como cultura de música popular brasileira "de verdade". Um *imprinting* comportamental de muitos anos de condicionamento tomava o controle da minha percepção em relação ao meu trabalho.

Um grande conflito estava armado na minha alma.

Como ser um "brasileiro de verdade"? Se não me considerava um "brasileiro de verdade", onde me colocaria? Definitivamente, não me achava merecedor de um pertencimento ao grupo de "brasileiros de verdade".

Por quê? Meu primeiro influxo foi a tentativa imediata de assimilação da cultura local (do morro) – ou pelo menos a que considerava como tal: o samba.

Minha primeira decepção naquele momento foi a resposta de Ivo em relação à escassez de novos compositores "bambas" de samba: "Samba é pra turista, a rapaziada se amarra mesmo é no funk." Mas o funk era americanizado e colonizado, assim como o rock que eu produzia. As ideias não correspondiam aos fatos.

O funk seria paulatinamente inserido no samba, nas levadas rítmicas das baterias de escola de samba, e se tornaria um elemento de renovação daquela cultura, tanto para o bem como para o mal. Mas minha cabecinha funcionava de uma forma bem mais condicionada subliminarmente pelo tal *imprinting* cultural do que imaginava.

Almejava conhecer os "bambas" da velha-guarda. Meu sonho era conhecer Carlos Cachaça, Zé Keti, Nelson Sargento, Paulinho da Viola, Dona Zica, Dona Neuma, sonho esse amplamente realizado, diga-se de passagem.

Não me resta a menor dúvida de que essas amizades, essa aproximação e vivência com o que considerava "um Brasil de verdade", me trouxeram grandes alegrias, afeto verdadeiro, pertencimento verdadeiro, além da riqueza do aprendizado, é claro. Finalmente me senti um brasileiro de verdade! Mas, ao mesmo tempo... que deprimente, me sentir brasileiro somente quando me submetia a determinados cânones culturais impostos externamente!

O fato de ser aceito na Bateria Valdomiro Tomé Pimenta, da Estação Primeira de Mangueira, me causa orgulho e regozijo até os dias de hoje, e seu desdobramento em ter uma unidade dessa lendária seção rítmica a tocar e gravar comigo nos meus projetos pessoais por um período de mais dez anos foi uma experiência de amálgama cultural, afetivo, identitário de grande significado na minha vida.

E foi justamente com essa formação (banda elétrica de rock e unidade da bateria da Mangueira) que haveria de ter grandes resultados em discos e shows, tendo como ápice as apresentações épicas no Hollywood Rock de 1990, no Sambódromo e no Estádio do Morumbi, e, espantosamente, sua maior rejeição no ano seguinte, no Rock in Rio.

Por ter tanto significado o fato de estar convicto de que me tornava "mais brasileiro" com a bateria da Mangueira, posso afirmar, com um certo conforto, que aquela apresentação "herética" no Rock in Rio (ainda havia um consenso de que samba misturado com rock era um sacrilégio) concederia à década seguinte um sinal verde para bandas e artistas que se consagrariam por justamente investir nessas misturas, fossem elas com o samba, com o forró ou com o maracatu.

O paradigma do tal sincretismo finalmente voltara à ribalta.

No entanto, nada mais clichê, nada mais submisso a imposições culturais, nada mais provinciano e *naïf* que o tabu do tal "samba-rock, meu irmão". Voltávamos, dessa forma, à vaca fria de que, para fazer rock, a ponto de ser "pertencido", de alcançar uma relativa "dignidade intelectual", era mister misturar chiclete com banana.

O trauma

Portanto, só após a escrita do *Manifesto* pude me defrontar, com toda a crueza e honestidade, com a questão do meu trauma em relação àquela apresentação no Rock in Rio, e como aquilo tudo viria a mudar dramaticamente o curso da minha carreira e a forma como enxergava as coisas. Mas isso me custaria muitos anos de mergulhos, explorações, tentativas e erros... infinitos e prolongados erros...

Em primeiro lugar, era imperativo que eu localizasse a origem real daquele trauma, pois sabia de antemão que não estava contido exatamente nas vaias e nas latas recebidas na apresentação.

O que realmente determinou esse trauma, a minha fúria (impotente, a princípio), foi a maneira deselegante (para dizer o mínimo) com que fui tratado pela organização do festival, constando que o artista brasileiro não valia absolutamente nada aos olhos e ouvidos daqueles empresários, que nossa presença em eventos como aquele era mero protocolo para fazer cumprir uma legislação de proteção (ilusória) ao produto nacional e mais nada (é obrigatório contratar artistas locais para fazer um festival internacional no Brasil, independentemente de ser mais ou menos balangadânico nas performances).

Meu sentimento era de impotência, exploração, rejeição, decepção com minha própria cultura (o rock), que me fizera crescer, me desenvolver como artista e como homem, e que, naquele instante, através daquele expediente malfazejo (mesmo me sentindo falsa e covardemente respaldado por aquela possante cultura autóctone), me descartava como um subproduto representante de uma republiqueta insignificante. Uma espécie de confirmação ritualística (o festival em si) de nossa miséria, nosso subdesenvolvimento e nossa submissão.

E era.

Diante daquele desterro todo, contaria ainda com o fato de que havia acabado de sofrer um grave acidente de moto (15 dias antes do evento), esmagando meu pulso e o cotovelo do braço esquerdo, me deixando praticamente impossibilitado de tocar um instrumento com alguma destreza.

São aqueles momentos da vida que temos a certeza absoluta de que nos fodemos em verde e amarelo, literalmente.

Recai sobre mim uma severa síndrome de Policarpo Quaresma

Deveria fazer opções criativas e muito precisas para sobreviver, e aquele baque me proporcionou uma mudança radical de hábitos, costumes, horários e crenças.

A primeira medida foi deixar de consumir substâncias estupefacientes. Fato, por sinal, fundamental.

Parei com todo tipo de droga de um dia para o outro, e esse ato foi muito importante para que constatasse minha liberdade fisiológica e psicológica em relação a qualquer possibilidade de me considerar um viciado.

A segunda medida foi voltar com força total aos livros, principalmente aos clássicos e ao meu herói dentre todos os heróis: Nelson Rodrigues.

A terceira foi voltar a aprender música, teoria musical, como um aluno primário, tipo escala de dó maior, muito prazer.

A quarta medida seria retornar ao estudo de violão clássico, no intuito de transformar aquele aprendizado em sessões de fisioterapia, na qual as escalas, as pestanas e os legatos poderiam me fornecer caminhos sinápticos nunca dantes percorridos, e voltar a ter meu braço, minha mão e meus dedos funcionando razoavelmente outra vez, por outras vias e rotas neurais.

Mas a boa ideia de transformar o violão clássico em fisioterapia não era exatamente o âmago da questão. Um influxo reativo de grandes proporções invadira minha alma, ficando eu à mercê de uma volúpia desproporcional de aniquilar em mim qualquer resíduo de rock!

De qualquer resíduo de cultura "alienígena"!

Eu haveria de alcançar a brasilidade pristina, imaculada e, para isso, deveria mergulhar na cultura do violão brasileiro.

Estava virado num Policarpo Quaresma pós-Rock in Rio!!!!

Só não havia percebido o quão comum, corriqueiro e vulgar era aquele comportamento.

Era um sentimento que me fustigava, me impelia furiosamente a uma brasilidade que, no fundo, sabia não existir nem em mim nem em ninguém.

E foi justamente nesse rebote pós-parto da escrita do *Manifesto* que acabei por perceber de verdade como passei todos aqueles anos maquiando ou escondendo essa fixação traumática e obsessiva que se alojara na minha psique e na minha alma.

Parei de compor qualquer tipo de coisa, vendi todas as minhas guitarras (exceto minhas duas Rickenbackers, por não ter tido coragem, graças a Deus!), troquei todos os meus CDs de rock por CDs de choro e música para violão em geral (flamenca, barroca etc.). Entrei a fundo nas obras de Heitor Villa-Lobos, Francisco Mignone, Guerra-Peixe, Garoto, João Pernambuco, Ernesto Nazareth, Pixinguinha, Canhoto da Paraíba.

Algo digno de nota é que, mesmo com essa furiosa síndrome de brasilidade, não consegui me aproximar da tal MPB pós-anos 1960 de jeito e maneira. Meu tédio em relação àquele período permanecia intacto, e, para me tornar um "brasileiro de verdade", deveria recorrer ao pretérito mais que imperfeito pré-bossa-nova.

Cheguei a comprar um *songbook* do Chico Buarque, mas jamais tive paciência para sequer abri-lo (e essa displicência me causaria um terrível mal-estar, passando a me culpar severamente por esse "desinteresse mórbido" no decorrer dos quatro anos seguintes observando consternado o *songbook* empoeirar na prateleira).

Imerso nessa *vibe* policarpoquarésmica, me sentia uma criatura altamente suspeita. Me inquiria todo santo dia sobre minha sanidade mental: seria esse mórbido estado de espírito que tanto caracterizaria um reacionário?

Apesar de estar colhendo frutos riquíssimos dos meus esforços e estudos, não podia deixar de me confrontar e me constranger com aquela excentricidade.

Sim! Eu estava reagindo como todo brasileiro recalcado com sua insignificância cultural perante o mundo.

Sim! Eu estava vivenciando uma síndrome de Capacho de *Rendez-vous* de Terceiro Mundo às avessas: o mundo me rejeitava enquanto brasileiro, subdesenvolvido, culturalmente exótico e periférico, e, por isso mesmo, eu me atracaria freneticamente à fantasia de inventar um Brasil particular, puro, imune a essa terrível "coadjuvância".

Foi nesse ponto que percebi minha similaridade arquetípica com os cânones conceituais da Semana de 22! Com o nacionalismo histérico dos integralistas e dos comunistas. Dessa pulsão mórbida e nanica em se ansiar único e inédito por estar ciente e se ressentir do fato de que o mundo ignora solenemente esse gigante insosso e insignificante.

Mas a grande falácia nisso tudo era a seguinte: onde realmente era eu um estrangeiro? Onde realmente estariam minhas "raízes"? (mesmo infectado por aqueles esgares culturais, sempre achei cafonérrima essa parada de raízes).

Àquela altura de meus questionamentos internos, meu mundinho ruiu. Eu jamais me tornaria um "brasileiro de verdade" se não fosse uma pessoa de verdade. E essa pessoa de verdade viveu, consumiu, desfrutou, produziu coisas totalmente distantes daquela "verdade" que me impunha cruelmente. O molde externo me mutilava como se tentasse viver dentro de um espartilho para recém-nascidos.

Como estava no centro daquela tempestade de reflexos condicionados culturais/comportamentais, ignorava o óbvio: esse fenômeno certamente se estenderia a todos os brasileiros mais ou menos educados e letrados que se arvorariam em produzir qualquer gênero de arte no Brasil: em busca do quimérico balangandã "autenticante"!

E, nesse pacote do "balangandã autenticante", todos somos impelidos ao exótico, a imaginar que quanto mais pobre você se mostra, você mais autêntico se torna; que sendo uma criatura de classe média, relativamente caucasiana, você não teria a mínima chance de ser um "brasileiro de verdade", a não ser que capitulasse de sua real identidade e passasse a se travestir de exótico, primitivo, balangandânico, banânico, carmen-mirândico, guarani-kaiowáquico, um falso absoluto, um brasileiro cenográfico, um malandro disneylândico, uma palmeira de celofane de novela das seis, enfim, um disforme moldado na conformidade e no conformismo estúpido e malfadado...

Um perfeito tu-pi-ni-quim pré-fabricado.

O círculo estava fechado. Minha descoberta pós-livro foi um soco no estômago na minha vaidade pessoal, e, logo que recolhi essas dolorosas recordações, decidi acrescentá-las humildemente à minha história, pois a gente só cresce quando admite as cagadas e os enganos.

E, afinal de contas, além da dor, da humilhação e da vergonha, é bem divertido e libertador se flagrar um cretino.

"A queda"

E assim passei esse período de mais de quatro anos desconstruindo minha imagem de roqueiro, sem fazer shows ou gravar discos.

Mas uma coisa é certa: apesar de toda a subjetividade quase suicida desse mergulho solitário propulsionado por um severo recalque, retirei um aprendizado precioso dessa fase abissal numa cultura quase que estrangeira para mim, assim como um distanciamento absoluto do rock (meu país... meu berço).

Os estudos de violão clássico dariam um escopo muito mais amplo à minha capacidade de composição, interpretação, vivência musical.

Ao final de 1994, já executava todo o repertório de violão de Villa-Lobos, Garoto, João Pernambuco, tocava uma das suítes para cello de Bach inteira, assim como a Chaconne para violino e uma das

Partitas para piano, além das "Guajiras de Lucía", de Paco de Lucía, o "Decamerão negro", de Leo Brouwer, e mais: Francisco Mignone, Guerra-Peixe, Pixinguinha, Torroba, Tárrega, Debussy, Albéniz e outros tantos.

A imersão nas leituras dos clássicos de toda a sorte, assim como escrever por quatro anos uma coluna diária no jornal *O Dia*, tudo isso foi se amalgamando na minha cabeça, se tornando parte do meu universo de intimidades e de idiomas, tornando-se parte genuína e fruto da minha experiência e minha exploração. Ainda estava incapacitado de perceber o real benefício que essa experiência estoica produziria em minha vida quando finalmente me livrasse desse estado quase histérico de reação.

Lá pelo final de 1994, quando já não imaginava se voltaria a compor, me veio um *insight* fulminante sobre a gravidade, sobre a queda, sobre tudo o que cai e é atraído pela gravidade, pela semeadura, pelo enterro, pela expulsão do paraíso, pela subida dos rios pelos salmões no afã de procriar e morrer, e uma torrente de imagens me apareceu na cabeça, pela queda ascensional, nosso eterno desafio à gravidade, ao rapto do conhecimento, ao tempo, ao perecer, ao ser eterno.

Imediatamente me pus a escrever o que consideraria, por algum tempo, apenas um poema. No entanto, esse "poema" desencadearia todo um processo de retomada do meu ofício de compositor.

Só a partir de então eu retornaria gradativamente à minha natureza, alterada, ampliada, tendo percorrido um processo de individuação doloroso, fascinante, criativo, perigoso, que tanto viria a me recompensar com uma cepa de novas canções, de uma total, completa e assustadora reinvenção.

Era uma queda ascensional, uma queda de semeadura e de correr riscos vertiginosos.

E uma celebração (inconsciente de toda aquela fase).

Foi através da queda que voltei à superfície.

A queda

Quantos sonhos em sonhos acordo aterrado
A terrores noturnos minha alma se leva
É um insight soturno é o futuro passando
Na velocidade terrível da queda
Na velocidade terrível da queda
Ante o colapso final a vertigem
Próximo ao chão a penúltima descoberta
Que a lógica violenta das cores tinge
A velocidade terrível da queda
A velocidade terrível da queda
Como cair do céu é tão simples
Queda que a tudo e a todos transtorna
Ah! as bombas, a chuva, os anjos e seus loucos
O mundo todo na velocidade terrível da queda
O mundo todo na velocidade terrível da queda
Resvalando em abismos um pôr do sol furioso
Que a sensação de perda ao ver exagera
É o desespero vermelho de um apocalipse luminoso
Ejaculado da velocidade terrível da queda
Ejaculado da velocidade terrível da queda
Diante do medo um sorriso aeróbico
Nas bochechas a câimbra de uma alegria incompleta
Nada como um sorriso burro e paranoico
Para não perceber a velocidade terrível da queda
Para não perceber a velocidade terrível da queda

Daí o conceito de *Nostalgia da modernidade*, de caminhar para a frente se nutrindo sem receios do passado e do estrangeiro (o estrangeiro, para mim doravante, seria experimentar ser "brasileiro de verdade"), e, assim, engendrar uma linguagem nova no meu próprio território criativo, desta feita, sem o dogma do chiclete com banana includente.

Sabia que o projeto do disco *Nostalgia da modernidade* seria uma semente, algo incipiente de uma nova aventura musical, poética, existencial, espiritual Não sabia ao certo para onde aquilo tudo estava me levando, mas sabia que, de muito bom grado, me renderia àquele sopro de vida e de renovação, me lançando mais uma vez em outra excitante jornada. (Devo ressaltar que ainda carregava possantes cacoetes culturais e crenças imbecis sobre a tal brasilidade, contudo, já me livrara da paralisia e da estupefaciência do grosso daquela doutrina.) Uma jornada que me custaria a feitura de três discos para, finalmente, chegar a um patamar de maturidade musical e liberdade conceitual.

Para entender o que deveria ser "brasileiro de verdade" tive que me fazer de mentira e trilhar, por samba, bossa-nova, música de festivais, maracatu, e logo em seguida, sabe lá Deus qual o real motivo, me vi tragado pelo desejo de fazer música eletrônica(!) – talvez para me ejetar daquele processo de culpa cultural e, principalmente, para me ver livre daquele tédio, daquela interminável e horrorosa aula de Moral e Cívica – e, assim, cometi o *Noite*.

O *Noite* como antípoda do *Nostalgia*

Minhas medidas e operações eram bastante radicais e, por isso mesmo, precisava fazer uma varredura em tudo o que passava pelos meus ouvidos. Precisava me apossar de tudo o que encontrava para me livrar das amarras do compromisso policárpico de ser um "brasileiro de verdade".

Adotando esse método, fui me reinventando, me aceitando do jeito que sou, me exorcizando daquela atmosfera claustrofóbica, até conseguir sair daquela empreitada que resultaria no terceiro e definitivo disco dessa trilogia: *A vida é doce*.

Pronto! O enigma se resolvera com a prática. Não mais precisaria de adendos periféricos, exóticos, para conferir genuinidade ao meu trabalho.

Não precisaria nunca mais me questionar sobre ser ou não ser um "brasileiro de verdade". Essa não seria mais a questão. Tudo daí por diante estaria ao meu alcance, sem amarras, sem cobranças culturais, sem reações por motivos externos. Poderia assim me valer de qualquer estilo que me viesse à cabeça, e a única coisa que me importaria seria minha vontade.

Só me preocuparia em fazer música que me emocionasse, me movesse e me divertisse de alguma forma. Por sinal, foi no final desse período que acabei por me curar definitivamente da minha epilepsia. Episódio narrado com mais detalhes no Manifesto do *50 anos a mil*, no capítulo referente ao ano de 1994.

E assim foi o alegre fim de meu Policarpo Quaresma interior. Mais uma vez, fui salvo pelo rock.

Capítulo 7
Ainda 2013

A reverberação

Às vezes me flagro maravilhado com minha capacidade aparentemente infinita de criar encrencas.

Passemos, pois, em revista alguns episódios para, em seguida, dar sequência a uma lógica comportamental (se é que ela existe).

Quero deixar bem claro que nunca fui nenhum santinho e, por isso mesmo, assistia aos conflitos se desenrolarem em cascata, como um trem desgovernado: como a retumbante separação do Vímana, sendo eu seu pivô, por ocasião do meu casamento insólito com a Liane, então mulher do Patrick Moraz, que havia ingressado na banda nove meses antes, e, em virtude disso, o fim de todo o megalômano projeto de conquista do mercado mundial.

Não posso esquecer o episódio da Blitz e minha saída espetacular, após uma entrevista de capa com a banda na revista *IstoÉ*; o casamento com Alice Pink Pank e a inevitável briga com Júlio Barroso (seu então marido), seguida do sumário desligamento da Gang 90; o início e o fim atribulado da minha carreira solo, destruindo todo o gabinete do presidente da RCA Victor, e a consequente condenação à geladeira da gravadora. Depois, o ressurgimento do mundo dos mortos com a providencial formação de uma nova banda: Os Ronaldos, coroada um ano após o sucesso tsunâmico de "Me chama" e "Corações psicodélicos", com a improvável expulsão do grupo por mau comportamento (sempre afirmo que ser expulso de uma banda de rock por mau comportamento é mais grave do que ser expulso de uma suruba pelos mesmos motivos).

Nessa galeria de encrencas, não poderia deixar de citar meus namoros tórridos, decadentes e conturbados, sem falar da minha lendária querela com o Herbert Vianna, que duraria mais de vinte anos, já àquela altura do campeonato se estendendo a todo o rock nacional.

E como esquecer a notória e incômoda briga com a vetusta MPB e seus coronéis, que dura até hoje?

Além de tudo isso, havia minhas prisões sequenciais, que se arrastariam por mais de oito aflitivos anos sob a única, surreal e absurda alegação e deliberação de um determinado juiz, que cismou de me enxergar como um "mal social" (manifestação típica dessa direita sorumbática, que naquele período ainda tinha resquícios de poder deixado pelo regime militar), lavrando um surreal salvo-conduto para que todo o poder público pudesse me dar voz de prisão a qualquer hora, em qualquer lugar do território nacional.

Não poderia deixar de citar também as vaias e latas no Rock in Rio como um marco da rejeição cultural do brasileiro, somadas à repulsa que a tribo do heavy metal nutria (e ainda nutre) por mim, evento esse que chancelou minha negação ao rock (por fadiga e tédio) e a total desconstrução da minha imagem e persona de roqueiro (estava virado num sambista obeso e careca), assim como também o fenômeno quase mágico da minha evaporação, até hoje inexplicável, da biografia e do filme baseado nela, sobre meu irmãozinho, companheiro de encrencas sórdidas e parceiro querido, Cazuza.

E a briga com as gravadoras? A briga contra as rádios pelo fim do jabá? Os CDs em bancas de jornal, a conturbada batalha pela numeração dos CDs?

Poderia concluir, sem a menor sombra de dúvida, que me enquadro no rol dos encrenqueiros clássicos.

Restava apenas tentar vasculhar os mais profundos recônditos do meu ser para entender as causas de tanta confusão fabricada por uma pessoa só. Qual seria o dispositivo, a chave, o *switch* que acionava tamanha balbúrdia e distúrbios dentro dos grupos em que me inseria?

Após muitos anos de psicanálise, meditação transcendental, leituras intermináveis, explorações ao esgoto do submundo, experiências que enveredaram por inúmeros tipos de vertentes filosóficas, religiosas e ideológicas, aventuras trágicas, aventuras cômicas, drogas de toda a sorte e epifanias arrebatadoras, comecei a perceber com mais clareza os resíduos e a origem dessa minha maneira de ser.

Era evidente que uma educação superprotetora fermentada por doenças muito graves, como a nefrose e, em seguida, uma indecifrável epilepsia, marcaram minha infância e adolescência.

O acréscimo de leituras pesadas desde minha puberdade magnificou as excentricidades das minhas fantasias e a urgência pânica em me livrar daquele sufocamento da minha individualidade em um ambiente que me tentava higienizar de qualquer vestígio de vida exterior.

Uma transbordante emocionalidade e uma delirante imaginação onírica somadas a um inarredável comprometimento com o que considerava justo forjaram minha alma e minha vida.

Eclodiu assim uma criatura que haveria de usar de muita criatividade e resiliência para não apenas sobreviver, mas prosperar na vida.

Com isso, inventei um mundo todo meu, onde todas as minhas atividades aconteciam: minha música, meus livros, meus mundos, anseios, amores e medos.

Creio ser necessária a revisão desses relatos num contexto diferente para fazer valer nosso poder de análise e comparação e, assim, facilitar a compreensão de situações complexas e seus padrões repetitivos.

Foi na minha puberdade e sob a forte influência de livros como *O acaso e a necessidade*, de Jacques Monod, e *Além do bem e do mal*, de Nietzsche, que me pus a acolher em meu quarto o Exu Caveira, entidade escolhida a dedo após me certificar que se tratava do Exu mais poderoso e feroz de toda a gira umbandista e quimbandista. E foi nessa "cerimônia" ritualística, que ministrei numa tarde em meu quarto, que tive a minha primeira convulsão.

Queria acolher o referido (e *mui* estimado) Exu, no sentido de dar-lhe proteção, afeto desinteressado e conforto naquela alma aparentemente tão atormentada e repleta de atribulações e reivindicações dos fiéis como sendo Ele, O Caveira, dono absoluto do cemitério, uma espécie de Mr. Morte Nagô.

Sempre nutri um carinho todo especial por essa entidade, a ponto de ter orgulho das minhas convulsões, sempre convicto de serem provocadas por sua esplêndida e aquecida proximidade. Trocando em miúdos: me achar uma pessoa esquisitona sempre foi uma tônica em minha vida.

Não obstante minha faceta encrenqueira florescer vivaz, robusta e salubérrima, muito em função do esforço sobre-humano que empreendia com o intuito hercúleo de me livrar da tirania materna, acabei por adotar aquela persona beligerante e confrontadora como escudo que haveria de me proteger das ameaças do mundo (com o ônus de me patrocinar outras tantas).

Aquilo que havia me resgatado também me envolveria em grandes apuros.

Todavia, no transcorrer do meu processo de amadurecimento, com o reconhecimento dessa minha reatividade "eletrocutante", houve um paulatino, sensível e notório arrefecimento desse traço reativo em meu ser, e devo isso muito ao fato de ter me dedicado a escrever livros; à minha mulher querida, com seu amor, sua dedicação e paciência; e aos meus gatinhos.

Portanto, os episódios que serão narrados aqui sobre o lançamento do *Manifesto do Nada na Terra do Nunca* já são perpetrados, urdidos e consignados pelo viés de uma conduta de provocação racional, consequente e consciente das repercussões, reverberações e encrencas astronômicas que essa singela e diligente pérola literária trará à vida brasileira.

Emplacando o segundo best-seller sob estrondosa reverberação

O livro já sairia no mercado alcançando a lista dos mais vendidos logo na primeira semana, atraindo toda a atenção da mídia. Mas, para meu espanto, todos os ardis das minhas provocações conceituais em relação ao meu *insight* sobre a Semana de 22... se evaporaram!

Como pude conferir posteriormente, não houve uma só resenha da crítica especializada realmente séria e responsável sobre o livro, ou de alguém do setor que tivesse lido pelo menos um capítulo sequer.

As reações de ódio e repugnância giravam em torno do universo jeca da fofoca provinciana pura e simples.

As manchetes de revistas, blogs, sites e jornais eram invariáveis em desviar o foco para assuntos marginais ao ponto central do livro, gerando manchetes como "Lobão lança livro e manda recado malcriado para Caetano Veloso".

O atavismo paralisante do Carandiru intelectual (como definiu de forma lapidar Martim Vasques da Cunha) que impera nessa sociedade repleta de cacoetes pavlovianos a aprisionar mentes e corações, padronizando, aplainando, reduzindo e clicherizando suas vítimas, é exatamente um dos meus alvos mais importantes no livro.

O que se repete é aquela ladainha de sempre: autômatos programados, escravos intelectuais condicionados a reagir e se defender das formas mais insensatas possíveis, os tais coronéis do Carandiru intelectual.

Eu escrevo uma tese que me custou mais de oito meses de pesquisa a falar sobre a Semana de Arte Moderna de 22 e seus desdobramentos para terminar numa manchete dessa natureza ("manda um recado malcriado para Caetano Veloso")?! Poxa vida... sequer se ofenderam pelo motivo certo! Mas será o benedito?

"Lobão ataca Dilma, Racionais MC's e Paula Lavigne em livro e gera polêmica", e por aí vai.

O círculo de interesse, como não poderia deixar de ser, era apenas guiado pela busca da tal "polêmica".

Houve quem promovesse uma campanha para queimar os livros, outros saíam com slogans do tipo: "Colabore para a causa ecológica e não compre o livro do Lobão."

Toda essa histeria vindo de pessoas que nem sequer abriram uma página do livro, exibindo com orgulho uma rejeição cega e categórica àquilo que se recusavam terminantemente a entender, sobre o que realmente se tratava o tal *Manifesto* (bem, se entendessem de fato, correria o risco de vê-los mais furibundos ainda).

Ofensas pessoais ribombavam nas redes sociais, de ilustres anônimos a celebridades ofendidérrimas. Coisas como: "Quem tem medo do lobo mau?? Mano Brown já não teve, Paula Lavigne idem, que venham os outros."

"Lobão viaja na batata-doce. Não tem nem que dar bola. Sempre que ele tá em baixa ataca alguém."

"@ManobrowOF vc segura o Lobão que vai ter fila pra bater! KKK Até eu fui esculhambada! Vamos cobrar royalties desse livro."

A Semana de 22, que era o centro gravitacional do livro, a razão fundamental de o livro existir, passou praticamente em branco em todos os assuntos e resenhas sobre a publicação, sem haver um comentário ou uma análise sobre seus desdobramentos, seus resíduos, suas contaminações e seus vícios preservados na sociedade até os dias de hoje.

A solidão da proposição real do livro era da vastidão de cinco desertos.

O fato mais enriquecedor de todo esse rebuliço constrangedor, acionado pelo lançamento do *Manifesto do Nada na Terra do Nunca* (e não pela sua leitura), foi a constatação do óbvio ululante: somos realmente um Arraial do Cu do Mundo, habitamos uma Terra do Nunca.

É como sempre digo e vou repetir mais uma vez: a ofensa é o expediente do imbecil.

E lá vinham os mesmos chavões de sempre: "Não conheço o Lobão, nunca ninguém ouviu ele na favela." Ou: "Lá vem o Lobão querer aparecer quando está por baixo."

Mesmo com todo esse assanhamento descontrolado, ainda conseguiria alguns espaços de vulto na mídia, como o convite do programa

Roda Viva, da TV Cultura, do qual participaria pela quarta vez, numa noitada de incrível tensão, cercado por ansiosos entrevistadores.

Outro espaço digno de crédito foi ser capa da *Rolling Stone*, acrescida de uma entrevista central que obteve expressiva repercussão.

Além desses dois destaques, houve outros artigos positivos, como na revista *Whiplash*, e entrevistas na TV Veja com Augusto Nunes e Joice Hasselmann.

Todavia, sabe-se lá Deus por quê, o lançamento desse segundo livro teria minha presença recusada em programas onde outrora eu sempre fora muito bem recebido, como os do Jô Soares e da Marília Gabriela, ambos súbita e inexplicavelmente desmarcados.

Uma querida amiga minha, editora de uma revista cultural de supina importância, me alertara alarmadíssima que os editores de jornais, reitores de universidades, celebridades artísticas da nossa indústria cultural, enfim, toda a fauna e flora tupiniquim não iriam me perdoar jamais pelo meu sacrilégio e, sendo assim, não descansariam até me jogar no oblívio absoluto, no Lete, o mar do esquecimento.

Fiquei lisonjeado com a preocupação e a disponibilidade que todos estavam me dedicando.

E, de meu coração, emendei à minha querida e apavorada amiga, no intuito de tranquilizá-la: "Não se preocupe comigo; sou insimonalizável."

Na verdade, aquilo tudo me estimulava. Finalmente havia no ar uma provocação que daria, quem sabe, margens a alguma possibilidade de mudanças. Observações mais detalhadas baseadas nessa rara brecha poderiam ser feitas por estudiosos mais empenhados e mais embasados sobre esse comportamento até então intocado e sacralizado da nossa casta cultural.

Eu me sentia uma espécie de Prometeu pós-verdade!... Só que devidamente desacorrentado.

Me impressiona bastante perceber que não passa em momento algum pelas cabeças dessas pessoas o simples e real intento dessa minha solitária empreitada: um desejo genuíno de tentar alterar esse estado mórbido de suspensão da realidade em que vivemos.

Amarelou pro Mano Brown!

Poderia até me achar insimonalizável, mas que a parada ia ser muito dura, isso não restava a menor dúvida.

E nossos rapazes argentinos que ocupavam a direção de produção da Band voltaram à cena com carga máxima quando se sentiram melindrados com as revelações feitas nos capítulos do *Manifesto.*

O expediente da rapaziada foi colocar toda a grade de programação da emissora a emitir todo tipo de "mimo" a meu respeito.

A sensação era de que bastava você ligar na Band que, em menos de trinta segundos, fosse no meio de uma inocente receita em um programa de culinária, fosse no meio de um intervalo de jogo de futebol, fosse num debate sobre economia, num show de variedades, o apresentador ou apresentadora de plantão faria uma pausa inusitada, um cavalo de pau semiológico em seus comentários rotineiros, para desencadear, sem a menor conexão com o assunto que vinha desenvolvendo, um vigoroso fluxo de impropérios endereçados... a mim!

Vocês já imaginaram que cena sensacional? Abstraiam, imaginem um inocente programa de culinária...: uma simpática e inofensiva senhora descreve a receita de um bolo... "Coloque um copo de farinha de trigo, duas gemas de ovo, quatro cubos de mant... e, do nada, *out of the blue*, O LOBÃO É UM DECADENTE, FRACASSADO CANTOR DE UMA MÚSICA SÓ... para, sem transição, prosseguir nos ingredientes "de manteiga no seu liquidificador etc. etc. etc..."

Começou com o *Pânico na TV*, onde a cada edição era dedicado um espaço quase que integral à minha magnética pessoa.

A ladainha de sempre: um músico de uma música só, que não teria a menor relevância além da tal musiquinha que tocou lá algumas vezes no rádio, e, não satisfeitos, passaram a me seguir nas ruas e em todos os lugares imagináveis, numa volante com jornalista e equipe técnica.

Não satisfeitos com os ataques na televisão, o programa em sua versão radiofônica viria a me aplicar um trote telefônico através de um imitador (um imitador bastante convincente, diga-se de passagem) do Mano Brown (trote em que eu facilmente caí), tirando satisfações ofendidas sobre o que havia escrito sobre ele.

Sendo assim, tentei enveredar a conversa para um nível mais... fofo, terno e civilizado possível, reafirmando os motivos de ter escrito sobre os Racionais, que havia muito me enternecido em conhecer sua mãe etc. etc... e com muito jeitinho explicar que o brasileiro deveria se acostumar a lidar com as discordâncias e críticas de forma mais civilizada.

Enfim, tudo o que desejava (além de não levar um tiro) era não cair na delinquência e na condição de moleque de briga de rua, jogando assim a reputação, a minha e a dele, dois artistas adultos, na sarjeta.

O surreal daquele circo grotesco todo é que estavam capitalizando e insuflando um comportamento grosseiro, inconcebível entre artistas que lidavam justamente com a... palavra.

Se a palavra é a arma do compositor, usar de ameaça física seria assinar publicamente a falência total de seus argumentos, seria decretar de forma definitiva o colapso da palavra, do bom senso e da razão, e eu não permitiria que isso acontecesse: nem a mim nem ao Brown, um sujeito que sinceramente admiro.

O curioso é que convidei o Mano Brown para conversar, debater e até para levar um som juntos (tanto no trote como depois dele, nas redes sociais), assim como foi convidado também pelo programa *Roda Viva*, mas o Brown, e sua natureza um tanto elusiva, desapareceu, para meu profundo pesar.

Por ironia do destino, e para minha genuína preocupação, o que se sucedeu após esse episódio foi um paulatino distanciamento do Mano Brown na mídia. Intuo que, através de sua capacidade de reflexão ou intuição, ele deva ter absorvido minhas análises (bastante acuradas e honestas) lá do seu jeito, pois passou a se comportar de forma sutilmente mais discreta, mais amadurecido, usando cada vez menos o personagem de marrento, chegando até, em alguns momentos, a se permitir aparecer publicamente sob um halo de ternura.

Mas, como se não bastasse a carga semanal do *Pânico*, eis que surge em cena também o *CQC*, com o mesmíssimo expediente, passando também a me seguir em todos os lugares com suas volantes e seus repórteres, numa perseguição bastante esquisita... Seria de se perguntar: será que eu dava tanto Ibope assim?

E esse mantra elegíaco iria se estender entre o final de 2013 e meados de 2014, quando eu, absolutamente sem paciência, já partia para cima das volantes nas ruas, chegando até, em uma determinada ocasião, num ato falho (talvez por estar no meio de um almoço, devorando um filé), a tentar ingerir um microfone que o desavisado repórter enfiava na minha cara.

Por ironia do destino, toda a programação dirigida pelos competentes rapazes portenhos atingiria o fundo do poço, seguido da retirada paulatina do ar da grade de programação sob a responsabilidade daqueles jovens incautos.

Lobão na *Veja*!

Outra aventura que iria abraçar seria aceitar um convite da revista *Veja* para escrever uma coluna semanal.

Naquele momento, a *Veja* era o epítome da voz da oposição ao PT e tida pela esquerda como semanário repulsivo e ninho de reacionários incorrigíveis.

E, pensando com meus botões, divaguei: "Nada mais *underground* e provocador que escrever na *Veja*! Simbora nessa!"

Minha estreia seria recebida com a corriqueira ofensa, mas, por pura ironia, após algumas semanas conquistando um tremendo sucesso entre os leitores, com minha coluna sendo um dos espaços mais lidos da revista.

Todavia, meu ímpeto começou a se esvanecer quando percebi que meus textos começaram a ser editados e higienizados.

E, apesar dos amigos que conquistei na minha curta estada na revista, pedi meu afastamento imediato da *Veja*.

E o filme baseado no *50 anos a mil*?

Durante o transcorrer desses últimos três anos, Rodrigo Teixeira, eu e Regina nos reunimos com alguns possíveis diretores, alguns possíveis roteiristas, alguns possíveis atores, mas na verdade o projeto estava parecendo rumar para a total estagnação.

Eu alegava que aquele estranho fenômeno ocorria devido ao meu nome, à minha reputação bastante questionável entre o metiê artístico ou, quem sabe, pela minha renitência em não aceitar o filme ser produzido através de qualquer lei de incentivo.

Rodrigo prosseguia impávido e entusiasmado em levar o projeto adiante, mas o contrato do direito de utilização do livro expirava em 2016, portanto, segundo ele, ainda havia muito chão naquela estrada.

A mudança de casa

Outro reflexo notório na minha vida familiar foi a necessidade emergencial de mudança de endereço.

Nossa casinha de vila recebia "visitas" indigestas, com recados sombrios à porta, com sucessivas tentativas de arrombamento e coisas do gênero.

Culminou com uma festinha de hip hop que rolava na última casa da rua, com a chegada de quase mil manos das quebradas e o início imediato de hostilidades, gritos de "Lobão, vai pra puta que pariu" e outras delicadezas do gênero. Em meio a esse clima, tivemos que tomar a triste decisão de nos mudar dali o quanto antes.

Em menos de um mês, achamos uma bela casa no Sumaré, rua tranquila, arborizada, uma edícula atrás da casa, um belo jardim na entrada, um quintal amplo, com outro jardim nos fundos...

Mais uma vez, tememos pela adaptação dos gatos, e, mais uma vez, eles amaram a mudança, passando a perambular com mais espaço e soberania naquela "selva", naquele pequenino reino que era o jardim para nossos tigres mirins.

Apesar de deixarmos nossa casinha com o coração partido, inauguraríamos um período de muitas alegrias e de uma intensidade até então inédita na minha produção musical, literária, culinária e internética.

Enfim, estávamos à beira de um outro salto para um novo período de mais aventuras, ainda mais desafiadoras e complexas. Um período maravilhoso em nossas vidas.

Capítulo 8

2013/2014 | Fora de Sync

Iniciaremos agora uma etapa ainda mais agitada que as anteriores. O Brasil entrou num processo de estagnação econômica, muitos desmandos e ações destrambelhadíssimas de Dilma Rousseff. Contudo, sua popularidade prosseguia inexplicavelmente em alta. Na Terra do Nunca, a velocidade dos reflexos e das ações se aproximava à paralisia catatônica. O que deveria ter eclodido há dez anos estava prestes a eclodir nos próximos meses.

Com a economia drenando o bolso do brasileiro, a tensão estava no ar e uma revolta, a caminho. O interessante é que o governo Dilma ainda passava incólume como responsável direto por aquela catástrofe econômica, pelo menos para a grande massa da população brasileira, que ainda surfava na onda do "milagre econômico" da era PT. A sensação que eu tinha era de que jamais ocorreria um ato de assimilação real por parte dessa população de quem era realmente o culpado disso tudo: o próprio governo do PT, desde os seus primeiros dias sob Lula.

A gota d'água veio de um aumento de vinte centavos nas tarifas de ônibus na cidade de São Paulo como deixa para a eclosão de uma inesperada, violenta e, por que não dizer, desproporcional revolta.

O Movimento Passe Livre tomou para si as rédeas da insurreição e partiu para violentas manifestações nas ruas, um rastilho de pólvora se espalhando por todo o país.

É curioso perceber que a situação econômica passava, pelo menos à primeira vista, por uma cosmética estabilidade, enquanto os serviços públicos e a infraestrutura em geral sofriam um processo avançado de abandono e deterioração.

Afinal de contas, já estávamos a um ano da Copa do Mundo e não havia sinais de melhora nos serviços básicos, enquanto os elefantes brancos das "arenas futebolísticas" já causavam indignação e ressentimento por parte significativa da população.

Com tudo isso acontecendo, é necessário salientar que não havia sinais explícitos de revolta contra o governo. Oposição inexistente no parlamento e uma direita se reorganizando ainda incipiente nos recantos das redes sociais.

Dilma agia como se fosse oposição e acabou tentando se aproveitar da bagunça sugerindo matreiramente um plebiscito para dar poder às assembleias populares, no estilo bolivariano dos coletivos chavistas, que impunham violência, morte e opressão na Venezuela.

Podemos afirmar que 2013 seria o ano em que o brasileiro acordou para o assalto aos cofres públicos e os malefícios da desastrada política econômica petista. Pensamos, sentimos e agimos através do bolso.

Com as manifestações saindo do controle, os *black blocs* apareceram em cena destruindo tudo em seu caminho.

Havia um descontentamento generalizado, contudo ainda não vetorizado, mas, mesmo assim, o povo se lançou às cegas às ruas, sem facções delineadas, sem ainda os rótulos de "direita" ou "esquerda", apenas povo em estado bruto, lotando todas as ruas do Brasil, sem que pudéssemos determinar onde estava o alvo de toda a insatisfação.

Não poderíamos dizer que se tratava de um protesto contra Dilma, ou contra o PT, ou contra o aumento das passagens apenas.

Havia também esses coletivos de esquerda tentando se aproveitar da situação para multiplicar a violência e o descontrole, para que houvesse uma brecha onde pudesse vingar a ação plebiscitária que Dilma propunha: assembleias populares já!

Era um espanto perceber multidões enfurecidas invadindo o Planalto, as avenidas, as praças, os botequins, quebrando carros, agências bancárias, depredações das mais variadas e, no final, não conseguirmos detectar de onde vinham aqueles protestos nem tampouco seu exato viés ideológico.

Era uma salada geral em que a direita brasileira ainda não havia mostrado sua cara por inteiro. Inclusive, nem tinha cara... sequer havia nascido ainda.

No meio de toda aquela balbúrdia, eu me mantive em silêncio. Estava um tanto surpreendido e meio de saco cheio com toda aquela confusão sem que pudéssemos prever qual lado (se é que havia algum) poderia prevalecer.

A esquerda já tomava proveito da situação, e os grupos de "guerrilha" chapa-branca como o MPL, o Mídia Ninja e o Fora do Eixo estavam em plena ação revolucionária nas ruas e nas redes.

O resto da população apenas seguia seu instinto em sua insatisfação, sendo arrebanhado sem um mínimo de foco real nas ruas para protestar "contra o estado de coisas".

Foi um dos momentos de insurreição mais abstratos de nossa história, mas também foi a primeira grande brecha para a eclosão de um segmento há muito adormecido na sociedade brasileira: a direita autoritária, os reacionários, os intervencionistas militares e toda uma gama de extravagantes insatisfeitos com o tal do lulopetismo, que, desde o fim do período militar, foi banida para o interior de seus respectivos armários e de lá não mais houvera a mínima possibilidade moral de pensar em sair.

Enquanto isso, eu observava as manobras dos artistas da esquerda, sempre dando aquela força para as depredações dos *black blocs*, com campanhas esdrúxulas na TV, atuando com uma despreocupação, com uma desatenção preocupantes em face da impropriedade, anacronismo e mau gosto de suas intervenções. Mostravam, assim, inequívocas evidências para a opinião pública em geral que, apesar de se enxergarem como criaturas engajadas e alertas com a realidade brasileira, habitavam uma bolha disneylândica por décadas e décadas.

Foi um momento bizarro e caricato assistir a Caetano Veloso, Chico Buarque, entre outros, fantasiados de guerrilheiros, dando força para vândalos cafonas querendo reeditar maio de 1968. Fato esse que acabou não recebendo lá o apoio e a aceitação, nem tampouco a simpatia, que eles imaginavam receber.

Muito pelo contrário: foi o estopim para a reação dos mais conservadores, que iniciaram suas investidas pela moral e pelos bons costumes, que, vamos e venhamos, era igualmente cafonérrimo.

Nosso sanduíche político estava começando a se delinear. Era o renascimento da polarização definitiva das extremas direita e esquerda, que iria infectar o país nos próximos anos. Os fantasmas de Oswald de Andrade e de Plínio Salgado estavam em festa.

Àquela altura, sendo já um veterano em xingamentos clichês (reacionário, coxinha, fracassado, roqueiro burguês), não me sentia muito confortável com aquela direita brega, por quem sempre nutri uma repulsa natural, pipocando de novo nas ruas.

Enfim, catapultados pelos despautérios da era PT, abria-se uma sombria brecha para que um determinado segmento da população pudesse ter a coragem de mostrar sentimentos e preconceitos inomináveis até então: os nostálgicos da ditadura militar.

No meio daquele turbilhão indefinido de emoções desgovernadas e futuro incerto, tratei de tentar me alinhar com pessoas que tivessem (pelo menos aparentemente), mais ou menos, as mesmas intenções que eu: viver num país livre, com iniciativa privada, um Estado menos bedelhudo, empreendedorismo, liberdade de expressão, oportunidades para todos, cultura, educação, economia forte e próspera.

Afinal de contas, quantos brasileiros já não estavam fartos daquele cenário sem variantes, sem oposição definida, sem alternância no poder, assistindo à derrocada de um país riquíssimo como a Venezuela se afundando num socialismo do século XXI, que apenas repetia os mesmos padrões miseráveis e desastrados dos socialismos anteriores.

E foi nesse espírito que iniciei minha busca por grupos que tivessem esse mesmo anseio.

Alex Brum Machado

Uma pessoa que desempenharia um papel importantíssimo nessa "aglutinação" seria o Alex Brum Machado, um amigo de Facebook que certo dia me apareceu com um convite para nos falarmos por Skype. Iniciamos assim uma amizade duradoura que atravessa esses anos até os dias de hoje, sendo, inclusive, o Alex, organizador e pesquisador dos arquivos da segunda parte desta autobiografia.

Nossos primeiros questionamentos eram justamente para tentar perceber o que estava acontecendo na sociedade brasileira, por que havia aquela preponderância mórbida de um pensamento de esquerda, onde todas as nossas mazelas se repetiam como um *loop*.

Perguntávamos a nós mesmos por que cargas-d'água o Brasil, enquanto república, nunca houvera de fato experimentado um regime verdadeiramente liberal, um Brasil que chafurdava por séculos no patrimonialismo, no autoritarismo endêmico, nos conchavos familiares, na mistura promíscua do público com o privado, na submissão perpétua da população a essa classe dominante, independentemente de quem estivesse no governo. Como e quando haveríamos de nos livrar desse atoleiro?

E foi num desses papos por Skype que, num determinado dia, Alex me propôs uma nova e surpreendente empreitada: fazer um programa de entrevistas num canal do YouTube.

O programa se chamaria *Lobão entrevista*, na tentativa de detectar pessoas que pudessem contribuir de alguma forma com propostas novas e visões de mundo mais propositivas.

Dentre essas pessoas em questão, apareceu o nome de Olavo de Carvalho. Sim! Que tal convidarmos Olavo de Carvalho para nosso primeiro programa?

Seria muito interessante poder conversar com aquele senhor tão extravagante que me colheu de curiosidade e interesse, mas, ao mesmo tempo, tão diferente de mim, com possibilidade real de haver alguma empatia entre nós.

Pois bem, agora só faltava combinar com os russos, ou seja: convidar o Olavo e esperar. E Olavo aceitou com célere receptividade!

Sendo assim, o *Lobão entrevista* estava pronto para fazer sua estreia com bons motivos para imaginarmos uma trajetória de grandes encontros, conversas interessantes e propostas criativas.

No decorrer dos três anos seguintes, os *hangouts* iriam auxiliar a promover debates e propostas para um novo tipo de mentalidade no país, consolidando, assim, um novo segmento, de uma nova e real oposição à esquerda. Naquela ocasião, é bom sublinhar que havia uma convicção (desastradamente errônea) de que um novo direcionamento, mais moderno e inteligente, poderia surgir numa nova direita.

Passaram por lá nomes dos mais variados espectros do pensamento liberal e conservador. Além de Olavo, recebemos Rodrigo Constantino, Ciro Pessoa, Bene Barbosa, Flavio Morgenstern, Martim Vasques da Cunha, Felipe Miranda, Thomas Giuliano, integrantes dos movimentos de rua MBL, Vem Pra Rua e Revoltados Online, Joice Hasselmann, Nando Moura, Romeu Tuma Jr., Claudio Tognolli, Bia Kicis, Luiz Felipe Pondé, Miguel Nagib, Caco Tirapani, Danilo Gentili, Roger Moreira, Percival Puggina, Rachel Sheherazade, Felipe Moura Brasil, Marco Antônio Villa, Luana Ruiz, Graça Salgueiro, Paulo Pavesi, Bruno Garschagen, sendo que alguns desses nomes acabaram por frequentar mais de uma vez o programa, fosse em papos com outros convidados, fosse em entrevistas solo.

Não seria exagero dizer que os *hangouts* semanais se transformaram numa referência e num ponto de encontro de toda a oposição ao PT, além de iniciar os projetos mais organizados das manifestações de rua.

Foi um momento raro de esperança, novas amizades, reconciliações das mais improváveis (e breves), como o histórico reencontro de Olavo de Carvalho e Rodrigo Constantino, numa manifestação incontestável de boa vontade (momentânea).

Os temas variavam entre a presença hegemônica da esquerda no pensamento e na cultura brasileiros, tráfico de órgãos de bebês, desarmamento, literatura, música, *showbizz*, Lei Rouanet, assassinato de reputações, mídia, estruturas de poder desse socialismo do século XXI.

Vários desses assuntos foram muito poucas vezes ventilados, questionados ou criticados para um público maior, e testemunhamos um crescimento significativo no número de pessoas que começava a se mostrar sem medo como opositores do PT e prontas para participar de ações populares.

Era o início das grandes manifestações que desaguariam no impeachment de Dilma Rousseff e na queda do PT.

Para nossa surpresa, além de Olavo ter aceito o convite para a estreia do *Lobão entrevista*, acabaria se tornando nosso convidado cativo, a participar de mais de 90% dos *hangouts*, promovendo, assim, um vasto escopo de proposições, ideias, indicações bibliográficas e muitas gargalhadas.

Sim! Uma vez estimulado, durante todas as suas participações nos *hangouts*, Olavo se mostrava uma pessoa muito engraçada e, em muitas das vezes, doce, solícita, meiga e terna.

Todavia, Olavo já nos pegava de surpresa com seus súbitos espasmos desagregadores.

Logo nos primeiros *hangouts*, em meio aos nossos projetos, nossas confabulações ecumênicas, nossas piadas e nossos elogios mútuos, nosso Olavo foi às redes sociais e disparou uma daquelas declarações ambíguas em relação à minha pessoa, de forma tal que havia no ar um desconforto, uma dúvida incômoda sobre seus reais sentimentos: "A ideia de lançar o Lobão para presidente, como anticandidato de protesto, é boa. O único problema é que ele corre o risco de vencer."

É aquela construção de frase que facilmente pode ser vista como um elogio ou uma sacaneada. Uma marca registrada.

Na verdade, desafortunadamente, a tal piada não surtiu aquele efeito de jocosidade ou dubiedade retórica que tanto o caracteriza, e o fato é que Olavo se viu compelido a pedir desculpas, mesmo que ao seu estilo. Uma delas foi: "O Lobão se enfezou porque alguém aqui lançou a candidatura dele a presidente e eu achei que a ideia era até razoável.

Mas ninguém teria pensado nisso se já não existisse no Facebook uma página *Lobão presidente* desde há muitos meses."

Outra: "Ninguém teve a intenção de 'usar' o Lobão para coisa nenhuma nem de pressioná-lo a fazer o que não quer. Tudo começou com uma brincadeira que, na nebulosa ambiguidade brasileira, acabou tomando ares de seriedade. *That's all.* Fica então o dito pelo não dito. Independentemente disso, acho que o Lobão tem muito mais capacidade para ser presidente do que dona Dilma, e ser um 'anticandidato de protesto' não é desonra nenhuma, foi isso o que, justa ou injustamente, fez do Ulysses Guimarães um ídolo nacional."

Além de tentar a seu modo desfazer o pequeno mal-estar (eu estava observando com atenção sua conduta), ainda teve a disponibilidade galante de me escrever um poeminha em francês (até hoje não consegui saber se era de sua autoria ou uma citação), que infelizmente se evaporou desse mundo corruptível de materialidade e entropia.

Apesar de ter consciência das peraltices retóricas e das investidas um tanto imprevisíveis de Olavo (sempre refém de emplumada vaidade), levei o incidente na esportiva e prosseguimos impávidos, focando na derrocada do PT, sempre com sua participação valiosa nos *hangouts*, mais jocosos e "brothers" que nunca!

Na verdade, esse episódio deve ter nos deixado mais próximos (eu sempre fiz questão de tratar Olavo como um amigo, enquanto seus olavetes dispunham de um arsenal de digníssimos pronomes de tratamento, salamaleques e prostrações para se dirigir a ele). No fundo gostaria de salvá-lo daquela solidão de púlpito que ele carrega.

Nutria uma firme esperança de estreitar uma amizade verdadeira com Olavo, a tentar assim acostumá-lo a se relacionar com alguém que não transitava pelos protocolos e reverência de uma hierarquia que o colocava inexoravelmente isolado numa torre de marfim, confinado em seu universo de papel, e assim tocado por essa cruel forma de solidão autoimposta por desígnios inescrutáveis. Comecei então a chamá-lo carinhosamente por "Olavaço", crendo que, dessa forma, pudéssemos ter uma relação mais bonachona, mais real.

O Fora do Eixo – Pablo Capilé

Como todos vocês sabem, eu sempre estive envolvido com música independente, enfurnado há muitos anos nesse metiê, e percebi, logo no início dos anos 2000, a cena borbulhando de bandas incríveis.

Tudo indicava que a década seria redentora para o cancioneiro popular brasileiro!

Surgiam nomes como Cachorro Grande, Vanguart, Mombojó, B. Negão e Seletores de Frequência, Réu e Condenado, Cascadura, Quinto Andar, Canastra...

Parecia ser inevitável que o Brasil testemunhasse uma nova geração de artistas reinventando uma nova trilha sonora para uma nova década que se inaugurava.

Mas isso não aconteceu. Por quê?

Com a nomeação de Gilberto Gil para o Ministério da Cultura, muita coisa, tanto no mainstream como na cena independente, passou a ter um viés mais ideológico que nunca.

Pelo lado do mainstream, a grana preta rolava através do uso abusivo da Lei Rouanet, que, a partir de então, foi direcionada para artistas consagrados, formando, assim, uma casta de artistas chapa-branca, financiada com dinheiro público.

Enquanto isso, pelo lado da cena independente, apareceu um coletivo chamado Fora do Eixo, liderado por meia dúzia de ex-universitários, jornalistas e produtores musicais que se juntaram para impor uma hegemonia estético-ideológica na música independente.

A palavra de ordem era *hypear* aqueles que se submeteriam ao regime e "evaporar" todos os que se rebelassem ao controle central do coletivo, que mais parecia uma célula maoísta da Revolução Cultural de 1966...

Como num passe de mágica, todas aquelas bandas e artistas que despontavam no cenário independente perderam seu incipiente e meritório protagonismo, entrando em cena bandas e artistas submetidos a um despropositado pós-tropicalismo de um primitivismo postiço, balangandânico, onde o "exótico e a precariedade" são imperativos estéticos.

Era um tal de misturar bandolim elétrico com distorção, sandália de couro, cabelinho encaracolado e batom com pandeiro e sintetizadores, apostando que a esquisitice e a pobreza cosmética por si sós poderiam parir gênios da raça. O dogma do chiclete com banana, o sincretismo autoimposto, comprovam sua tenacidade inamovível.

Contudo, apesar do clima das ameaças de aniquilação artística para quem não entrasse naquele jogo, inclusive com denúncias graves de trabalho escravo, o Fora do Eixo prosseguia incólume em sua trajetória de destruição da verdadeira e espontânea manifestação da música independente nacional.

Muitos artistas vinham falar comigo, denunciando casos de arrepiar os cabelos, mas com muito medo de divulgar seus nomes.

Pablo Capilé e seus circunstantes eram o centro de todas as reclamações.

Para acelerar mais ainda o processo, o líder do coletivo iniciou uma série de investidas contra minha pessoa, me chamando de reacionário, direitista e aquelas baboseiras que eles adoram cultivar.

Foi a deixa para que eu viesse a público convidar Pablo Capilé para um *hangout* com data e hora marcada.

Na primeira tentativa, o chefe do coletivo escafedeu-se, alegando estar muito atarefado.

Na segunda, nem sequer deu uma explicação razoável para seu desaparecimento.

Com aquela escapulida pouco louvável, me veio a ideia, para celebrar nosso desencontro, de compor uma canção.

Eu não vou deixar

Por todos esses anos
Por tudo que eu passei
Por tudo o que eu faço
E ainda o que eu farei
Não vem com esse papo de riponga

Que eu não vou deixar
A palavra é minha arma
Minha bala é minha canção
Nem vem mexer com aquilo
Que você não tem noção
Não adianta insistir, meu irmão,
Que eu não vou deixar
Cadê a sua lábia?
O seu tempo se esgotou
Quem foge da conversa
Já perdeu de w.o.
Te aviso, companheiro, não se esconda
Que eu não vou deixar
E agora? Aonde está
A banca que você botava?
E agora? De quem é mesmo
O pesadelo que você armava?
E agora? Eu estou aqui e é você
Que foi embora...
E agora, você deu o fora,
Mas que papelão!
Mané querendo mudar o mundo
Engenheiro social
Tungando a grana de artista
Fabricando edital
Direito autoral ele também não quer,
Mas eu não vou deixar
Patrulha e desespero,
Evangelho coletivo
Doutrina de carola estatizado e vendido
Rebelde chapa-branca quer que eu cale
Mas eu não vou deixar
De bem-intencionados

Eu já não aguento mais
Tem otário se achando valente
Mas quando me vê, mija pra trás
Acabou sua pilantragem, sabe por quê?
Porque eu não vou deixar.
E agora? Aonde está
A banca que você botava?
E agora? De quem é mesmo
O pesadelo que você armava?
E agora? Eu estou aqui e é você
Que foi embora...
E agora, você deu o fora,
Mas que papelão!
E agora? Aonde está
A banca que você botava?
E agora? De quem é mesmo
O pesadelo que você armava?
E agora? Eu estou aqui e é você
Que foi embora...
E agora, você deu o fora.

Fui convidado pelo meu querido amigo Rafael Ramos, da Deck Discos, para gravar o single em seu estúdio lá na Barra da Tijuca. Acabei tocando todos os instrumentos.

O Fora do Eixo foi se desmoralizando paulatinamente, até que acabou saindo de cena, trocando de nome, se ramificando na Mídia Ninja, Quebrando o Tabu e outras encarnações.

Capítulo 9

2014 | Vamos tirar o *hype* da esquerda!

O ano de 2014 seria repleto de emoções, acontecimentos inusitados, alianças improváveis, reconciliações postiças, viradas de jogo, papelões épicos, Copa do Mundo, vaias a Dilma, eleições conturbadas, a eclosão definitiva dos movimentos de rua, as primeiras manifestações explícitas contra Dilma, a expulsão do povo do Senado por Renan Calheiros.

Os *hangouts* pegam fogo!

A oposição ao PT começou a ganhar musculatura, apesar de uma multifacetada identidade. Segmentos surgiam na ribalta com diversas posturas: liberais, libertários, conservadores, reacionários, integralistas, intervencionistas, um verdadeiro caos de uma fauna variadíssima de insatisfeitos.

Com todas essas manifestações de descontentamento, nossos *hangouts* semanais eram como gasolina na fogueira.

Era um período em que, pela primeira vez em dez anos, realmente vislumbrávamos uma real possibilidade de destituição do PT do poder.

Ao mesmo tempo, eu começava a me preocupar bastante com uma nova cepa de reacionários oriundos de uma supostamente falecida direita macarthista, saudosa do regime militar, dos generais no poder, e esse tipo de fenômeno deveria ser tratado com a maior diligência e habilidade possíveis, pois a chance de uma real mudança de paradigma na mentalidade do povo brasileiro sofria uma ameaça real de um retrocesso com essa sombra de uma possibilidade macabra de novos anos de chumbo, perpetuando o Brasil, assim, num verdadeiro *loop* de comportamentos repetitivos, ocasionados pela pura e simples inépcia em aprender com o sistema de tentativas e erros. Fosse esquerda, fosse direita.

Coisa de Terra do Nunca.

Portanto, se constatávamos que a esquerda jamais aprendera com seus próprios erros, começávamos a temer que essa "nova direita" pudesse caminhar em direção ao mesmo abismo da repetição infinita dos seus. Um momento tenebroso, de arrepios na espinha, constatar que não se tratava de viés ideológico a agrura de nossas mazelas, e sim do *imprinting* cultural brasileiro.

Uma das minhas principais preocupações naqueles acalorados debates do *Lobão entrevista* era precisamente de fundo estético, pois, para mim, a estética é um tópico dos mais reveladores sobre a mentalidade de uma cultura: a direita deveria se redimir, antes de tudo, através da estética, da elegância.

Afinal de contas, a frase de chamada que elaborei foi "Tirar o *hype* da esquerda".

Desde os anos 1960, Maio de 1968, a abjeção do AI-5 e seus efeitos desastrosos, a MPB, o rock'n'roll, Woodstock, os direitos civis, os direitos dos negros, das mulheres, dos homossexuais, a revolução de costumes, enfim, a derrocada da caretice, do macarthismo imerso naquela paranoia cafona anticomunista, nas ditaduras militares assassinas na América Latina, no sonho americano daquela classe média tacanha, na derrota do Vietnã, ser de direita passou a ser, por todos os deméritos adquiridos, um vexame – a direita, com sua inabilidade de se deslocar em terreno hostil, inflexibilidade e presunçosa ingenuidade em se enxergar superior diante de uma esquerda muito mais articulada e com muito mais jogo de cintura.

Desde o início do século passado, a arte em geral já se manifestava completamente contra a burguesia, a decadência do sistema capitalista, com seu consumo desvairado, sua poluição e sua frivolidade, e, por incapacidade de uma autocrítica fundamental para sua sobrevivência e evolução, a direita iniciou uma cruzada de lamentações e vitimizações contra a visível superioridade estratégica da esquerda. Isso sem falar nos liberais, que sempre oscilaram para qualquer viés ideológico desde que seu pragmatismo idiota prevalecesse.

Sendo assim, desde então, a esquerda detém um monopólio quase absoluto da produção cultural em todo o mundo ocidental.

No Brasil era a mesma coisa, desde a Semana de 22: a esquerda tomou conta do cenário cultural enquanto à direita integralista foi reservado o espaço bisonho da reles caricatura.

A missão era: como retirar essa pátina grotesca da direita tupiniquim? Ou seria bem mais que uma superfície perversa, mesquinha e obtusa?

Pela primeira vez na nossa história recente, a produção artística da esquerda atingia seu grau máximo de erosão e desgaste com um delírio ideológico causado por estar justamente no poder. O excesso de controle e doutrina (vide o Fora do Eixo, a Lei Rouanet) provocou um decréscimo de credibilidade, originalidade, talento e criatividade em suas hostes, produzindo uma geração de réplicas mal-acabadas de modelos artísticos outrora mais proficientes e talentosos.

Enfim, poderíamos afirmar, sem nenhum medo de errar, que a produção de arte da esquerda se mostrava raquítica, regurgitada, o que fora um dia vanguarda hoje vigorava como um academicismo mofado. O que era "fora da casinha", ousado, inovador foi regurgitado à exaustão, passando a ser uma neo-ortodoxia enfadonha, piegas, pedestre, repetitiva, incapaz sequer de causar espanto numa lagartixa assustada.

Portanto, ali estava uma brecha histórica.

Vamos tirar o *hype* da esquerda!

Contudo, já havia claros indícios de segmentos de artistas dispostos a produzir uma arte "engajada" de direita, com aquele papo de "guerra cultural", "alta cultura", o que se mostraria, além de uma tremenda e ingênua estultice, um perfeito desastre.

Imagina uma banda de rock homenageando as invasões nas favelas, tecendo loas à Rota?

Ou uma intervençãozinha militar de leve? Ou prestando um tributo à repressão policial em geral?

O Procure Saber e a estatização dos direitos autorais

A estatização do direito autoral vinha se arrastando desde maio de 2013, quando conseguiram persuadir o rei Roberto Carlos a adentrar o Congresso Nacional e, assim sendo, conquistar de vez os votos dos parlamentares mais recalcitrantes.

E naquele ano de 2013, estava na estrada, me dirigindo à Flip, em Paraty, onde realizaria uma palestra (conseguimos driblar a organização do evento, me inserindo num espaço paralelo), quando acompanhei os acontecimentos pelas redes sociais, obtendo as reações de alguns senadores que chegaram a relatar a entrada triunfal do "rei" e a subsequente e imediata desistência daqueles que ainda guardavam algum ânimo para contestar aquela lei tão descabida.

Para quem ainda não está familiarizado, trata-se de uma lei que coloca os desígnios dos direitos autorais no centro do Ministério da Cultura (que por muito tempo era uma espécie de feudo do PCdoB). Em outras palavras, haveria mais um intermediário no processo de arrecadação, mais outra fonte potencial de suspeitas de desvios monumentais de dinheiro dos músicos e compositores de todo o Brasil.

O regimento dessa lei produziria um conselho dentro desse ministério, escolhido (sabe-se lá por quem) para fiscalizar, validar ou penalizar a arrecadação de direitos autorais no Brasil.

Imaginem só, uma classe artística repleta de rixas ideológicas, disputas por poder, um núcleo de artistas ligados umbilicalmente à Rede Globo por décadas, principalmente à área de trilhas sonoras de novelas, lutando para doar de mão beijada todo o poder de controle sobre a arrecadação a esses gigantescos conglomerados da comunicação, em troca sabe-se lá de que favores...

E seria justamente esse grupo que doravante exerceria o comando e o controle das arrecadações, a partir das entranhas do MinC.

Mais outro caso típico em nossa história de usar a coisa pública para interesses privados.

O mistério nisso tudo é que a tal lei acabava por beneficiar justamente aqueles que pagam pelos direitos (as redes de TV, de rádio, hotéis etc.) e, não raro, são nossa grande fonte de problemas, havendo, entre essas redes, grandes sonegadores de quantias astronômicas.

A pergunta que não queria calar era: qual seria o real interesse de tantos artistas lutarem para doar os poderes de fiscalização nas mãos dos nossos maiores, uma facção polpuda de artistas capitaneados pela empresária Paula Lavigne? Sendo que, do outro lado, havia as arrecadadoras, eu, Roberto Menescal, Walter Franco, Fernando Brant, Danilo Caymmi e mais alguns outros gatos-pingados tentando resistir àquele descalabro.

Mas a presença de Roberto Carlos chegando de última hora no plenário definiu a parada.

Ainda restava um recurso, e foi estipulado o último embate para março de 2014, no Supremo Tribunal Federal (STF), sob o comando do ministro Luiz Fux.

Sob um clima de espessa tensão e animosidade, compareci para ser um dos palestrantes em defesa da revogação da lei, juntamente com outros colegas, enquanto o outro lado convocou um grupo para nos contrapor no debate.

Não sei por que cargas-d'água acabaram por focar a contenda entre mim e meu querido amigo Roberto Frejat.

E a imprensa fazia a festa com matérias adornadas de manchetes do tipo: "Lobão convoca complô contra projeto de lei do Ecad";[1] "Em audiência no STF, Lobão dispara: 'Puseram o Roberto Carlos no Congresso, isso é uma palhaçada!'";[2] "Querem derrubar a lei do Ecad";[3]

"Lobão critica projeto que modifica direitos autorais no Brasil";[4] "Lobão e Frejat se enfrentam em debate sobre a lei dos direitos autorais";[5] e "Músicos divergem sobre direitos autorais; STF julgará ação neste ano".[6]

Sabíamos que era uma luta perdida, mas era obrigação nossa lutar até o fim.

O Procure Saber acabou ganhando o recurso e a lei foi sancionada, mas já estava em andamento um inexorável processo de desgaste e declínio de poder dessa panela.

Pela primeira vez na história, era visível o desgaste daquelas figuras impolutas, até então incólumes em seu prestígio.

Mas isso era apenas o começo...

Nasceu o Pedro, The Rock! Meu netaço!

Eis que, em meio a tanta confusão, chega uma notícia maravilhosa através da minha querida filha, Júlia, nos avisando, no dia 3 de junho de 2014, do nascimento, na cidade do Rio de Janeiro, de Pedro, meu neto!

Tenho um neto!

Nossa casa se encheu de alegria; a Rê, toda emocionada, se sentindo avó também.

Tudo isso me deixou em estado de graça. Estava numa felicidade insuportável por perceber que, durante todos esses anos, havia começado uma correspondência assídua entre a Júlia e a Regina, e perceber essa intimidade entre elas se intensificando a cada dia me encheu de alegria.

Como posso ser mais afortunado? Minha filha virou uma linda mulher, uma profissional de alto gabarito, casada com o Christian, é formada em moda e tem uma confecção onde produz designs incríveis.

Ao longo desses últimos anos, nossa relação veio se estreitando cada vez mais; ela nos manda (para mim e para a Regina) um monte de fotos dela, do Pedraço, e, assim, podemos acompanhar as novidades lá do Rio, uma vez que passei um bom tempo sem poder ir até lá.

É engraçado como é fácil nos flagrarmos imaginando as coisas mais banais do mundo, divagando curiosos, ávidos por adivinhar os pendores do bebê... O que será que o Pedro vai gostar de fazer? Será que ele vai gostar de música? De andar de skate? Desenhar? Será um nerd de computador? Um astrofísico? Um contínuo? Um surfista? Pianista? Funcionário público? Um sambista? Jogador de futebol? Um introspectivo? Um melancólico? Ou um ser esfuziante? Um gozador? Independente? Gaiato? Piadista?

Mas, naquele momento, eu só desejava que ele tivesse sua saúde intacta e recebesse todo o amor e carinho dos pais.

Mas não posso negar que tive um *feeling* muito forte (lá vem aquele papo de avô) de que hei de ter uma relação muito especial e intensa com o Pedro.

Imaginei a alegria da Danielle como avó, da tia Janine como bisavó, da Gisele como tia... E, de repente, me vi com saudades de todas elas.

Alguns meses depois, morre a Danielle

Alguns meses após o nascimento do Pedro, recebemos a triste notícia da morte da Danielle.

Meu Deus... quantas coisas passamos juntos, desde crianças, desde que a ensinei a nadar na piscina lá do sítio, nosso namoro, nossa tumultuadíssima vida a dois, minha prisão, o que ela sofreu, as loucuras inenarráveis dos anos pós-cadeia, nossas parcerias musicais...

A Dani teve a alegria e a dádiva de conhecer seu neto e ter vivido com sua filha sempre a seu lado, agora uma mulher adulta, talentosa, esposa, mãe e sua amiga de todas as horas, que a acompanhou dedicadamente até o fim, e isso pode se chamar de uma missão cumprida.

Com todas as atribulações da vida, Danielle foi uma mãe presente o tempo todo e deixou essa filha maravilhosa para prosseguir seu caminho... e agora seu neto.

Descanse em paz, Dani.

Mas a vida é bola pra frente e o que temos de focar é nas possibilidades imensas que temos adiante.

Pretendo ser um avô tipo "parque de diversões" para o Pedro e poder dar a ele muita alegria, emoção e motivação para sua vida, assim como aproveitar esse tesouro que é poder testemunhar os laços da nossa continuidade se desenvolverem, crescerem e obterem vida própria.

Participar desse processo não tem preço.

Capítulo 10

2014 | O Brasil é um circo em chamas

Por incrível que isso possa parecer, finalmente tivemos uma insatisfação verdadeiramente manifesta da população contra o PT, Lula e Dilma apenas em 2014.

Até então havia um sentimento difuso, desfocado, errático quanto ao ato de se posicionar claramente.

Ser oposição ao governo ainda era alvo de dúvidas sobre teorias da conspiração, ameaças, chacotas e refutações por parte dos mais moderados (que constituem a grande maioria do povo brasileiro).

No Congresso Nacional, a oposição ainda era praticamente nula. Jair Bolsonaro só começou a se posicionar tímida e incipientemente na oposição a partir de 2013. Antes era aliado do PT, desde criancinha.

É interessante observar que esses traços de lentidão, passividade, credulidade, interesses escusos, subserviência, temor ou indolência permanecem intactos ao percebermos esses mesmos atributos se manifestarem agora em relação a um governo diametralmente oposto (em teoria), mostrando o cenário de sempre: apatia, cansaço, receio em ter investido em mais uma outra cilada política ou simplesmente medo da mesmíssima forma de repressão tradicionalmente adotada pela esquerda, agora usada e aperfeiçoada pela direita: o linchamento virtual.

Essa grande parte da sociedade civil se vê mais uma vez refém da patrulha dos fanáticos que emana dos extremos. A Terra do Nunca e suas circunvoluções que jamais nos levarão a lugar nenhum.

Por ironia do destino, justamente durante a Copa, um evento pelo qual Lula lutou tanto para acontecer aqui no Brasil (a custo de muita propina, destruições de comunidades e construções de elefantes brancos), é que aconteceria a primeira e explícita manifestação de profundo desagrado e insatisfação do povo em relação à sua "presidenta".

Dilma já havia mostrado toda sua inépcia administrativa, seu humor instável, sua crassa e patente imbecilidade e, com suas mancadas oratórias célebres, entrava para a galeria das caricaturas.

Com toda aquela pose de "guerrilheira", "gerentona", "mãezona", deixava bem claro que não passava de um embuste grosseiro fabricado por Lula, talvez fruto dos desfalques do elenco de caciques, todos eles já amplamente comprometidos com o mensalão ou outros casos de corrupção. Seria uma escolha fatal para o partido.

Como se não bastasse o fiasco do governo, a seleção de futebol mostrava ao mundo um grupo de rapazes tíbios, emocionalmente despreparados, outros tantos insatisfeitos por estarem nitidamente sendo manipulados pelo governo no intuito vão de limpar sua imagem.

O histórico 7 × 1: o Brasil *Millennial*

Ao contrário da comoção nacional, do luto que se instaurou em todo o Brasil na Copa de 1950, o revés sofrido pela seleção contra a Alemanha por 7 × 1 simplesmente incitou o escárnio e a revolta, não somente pela seleção, mas por tudo o que representou aquele desastroso torneio.

E o cabalístico 7 × 1 se tornaria um emblema eloquente de toda uma era, de uma sociedade flácida, acomodada, mimada, retardada... Pais indulgentes criando filhos entediados onde a zona de conforto se tornou o molde de imbecis catatônicos.

A busca pela eterna juventude, o autismo social gerado pelos celulares, a erotização precoce, a banalização radical do entretenimento, a superficialidade efêmera das relações, o tribalismo enclausurante e a adesão automática a qualquer tendência e estímulo que a publicidade convocasse levou a sociedade *millennial* à beira da demência.

Começa a luta pelo impeachment de Dilma! Será que a hora é essa?

O impeachment de Dilma Rousseff se tornou algo palpável, e os movimentos de rua pró-democracia, como o Vem Pra Rua e o Movimento Brasil Livre, começaram a ganhar um grande vulto.

A polarização direita × esquerda começou a aparecer com nitidez, mas as ruas estavam inundadas de insatisfeitos com o PT.

As manifestações governistas só conseguiam aglutinar pessoas de forma postiça, através de miseráveis sanduíches de mortadela, ônibus fretados e dinheiro para mais uma outra refeição.

O grande problema em relação a essa incipiente oposição era sua heterogeneidade.

Nas ruas, nós poderíamos encontrar todo tipo de sujeito a vociferar contra o governo: os movimentos democráticos, o simples cidadão desempregado ou os fartos de pagar impostos para nada obter em troca, a não ser exploração e perda de poder aquisitivo, até o segmento dos mais histéricos: nesse caso, os saudosos da ditadura militar.

Sim, com absoluta certeza, foi esse o grupo "autoinvestido de direita" a aparecer da forma mais nítida na cena e, por isso mesmo, por ser um expediente clamorosamente vexatório para qualquer pessoa de mínimo bom senso, um dos maiores obstáculos para uma articulação daquele mosaico.

Já nos *hangouts*, atentávamos para o fato: se havia algo incriminador, patético e bizarro para uma oposição verdadeira ao governo era aquele bando de órfãos da ditadura militar a insistir na volta daquele período tão babaca, incompetente e autoritário. E é importante ressaltar que todos os integrantes daqueles debates se mostraram claramente contra a tal intervenção militar.

Portanto, deveríamos lidar com um nicho de pessoas que passaram décadas escondendo suas sombrias inclinações para, a partir de então, saírem dos armários de coturnos, envaidecidos por exibir aspectos vis da natureza humana, sem o menor constrangimento, muito pelo contrário: com a certeza da própria superioridade moral, intelectual e física!

Sim! Começaram a espocar marombeiros de ultradireita por todos os cantos das cidades, a encenar coreografias aeróbicas horrorosas, reunidos como torcida organizada, com sorrisos de câibra estampados em faces que mais pareciam máscaras de quem morreu de cócegas.

Ali estava o nascedouro da estética chula de uma direita vulgar, grosseira, a nos brindar com seu mau gosto, sua arrogância e sua imbecilidade sem limites.

Enquanto isso, do lado da esquerda, a campanha de marketing, os artistas, os universitários, além da Militância em Ambientes Virtuais, os MAVs na internet, davam aquele tom desgastado... exaurido.

Pela primeira vez na história recente, a esquerda demonstrava sinais claros de erosão moral, ética e estética.

O tal *hype* da esquerda estava cada vez mais datado.

Nunca foi tão desinteressante, enfadonho e inofensivo ser um militante de esquerda.

As redes sociais imprimiam um clima de batalha campal: invasões dos MAVs petistas em todas as páginas daqueles que lhes causavam alguma oposição, numa constelação de injúrias, xingamentos e ameaças.

A palavra de ordem era colocar qualquer opositor do PT como fascista. Em outras palavras: se você não apoiasse o governo do PT, você não passava de um fascista.

Era engraçado quando eu saía para fazer alguma coisa, como uma compra no supermercado, sempre aparecia do nada (geralmente pelas costas ou apenas distante o bastante para qualquer confronto direto) um sujeito para desferir o mantra: "Fascista! Fascista!".

Até chegar ao paroxismo de um militante mais extrovertido começar a postar nas redes sociais meu endereço (para minha preocupação maior, o endereço era da minha casa anterior, e passou pela minha cabeça que poderiam decapitar um alvo errado).

As eleições estavam fadadas a ser do tipo votar no PT ou votar em quem poderia derrotar o PT, e, nesse caso, nos sobrou o Aécio Neves... Que destino o do brasileiro, optar sempre entre o pior e o ainda pior que o pior!

Com muito custo, nosso grupo do *hangout* decidiu sair em campanha para tentar demover o PT do poder.

Fomos a Brasília tentar convencer Aécio a participar da próxima manifestação na avenida Paulista, o aguardamos por dois dias para um encontro, tiramos fotos e conseguimos sua palavra de que ele iria, sim, comparecer.

Pois bem, Aécio foi tomar banho de mar numa praia no Sul - se não me engano, em Santa Catarina - e, no dia da manifestação, em plena Paulista, perdi as estribeiras com ele. Num arroubo de cólera, pus-me a gritar: "Furão! Furão!"

E, para coroar a patacoada, ao lado dos caminhões dos movimentos ditos "democráticos", lá estavam, sem o menor constrangimento dos outros participantes, os indefectíveis caminhões dos intervencionistas, nos jogando todos no mesmo saco de gatos.

Enfim, a esquerda contava com o vilão perfeito: fascistas, intervencionistas querendo tirar do poder uma presidenta guerrilheira que lutara contra a ditadura militar. Não é de graça que chamo o Brasil de a Terra do Nunca. Apesar de ali estarmos em 2014, nunca saímos de 1964!

A narrativa e a carapuça perfeitas que aqueles histéricos davam de bandeja para os petistas.

Às vésperas das eleições, as ameaças se intensificaram, e, numa conversa com meu amigo Claudio Tognolli, num *hangout* daqueles, manifestei meu desconforto em pensar que o poder constituído dava estofo para linchamentos virtuais e ameaças bastante reais por parte da militância, e, assim sendo, aventei seriamente a possibilidade de sair do Brasil caso o poder constituído permanecesse nas mãos do PT.

Aquela declaração se alastrou como um rastilho de pólvora e os MAVs entraram em cena com *hashtags* e palavras de ordem de forma muito semelhante com o estilo que havia na ditadura militar: "Lobão, se não ama o Brasil, deixe-o! Se manda!" Ou: "Ah! Lobão afirmou que, se Dilma ganhar, sairá do Brasil."

Como se não bastasse o assédio que sofria com as volantes da Band (tanto do *CQC* como do *Pânico*) em qualquer lugar onde fosse, passei a ser alvo de mais ameaças, desta feita, não somente pela internet, mas à porta da minha casa.

Desde populares fazendo algazarra, pessoas esvaziando os pneus do meu carro ou arranhando a lataria, até colocarem placas de "aluga-se" no portão da garagem.

Após um resultado final extremamente duvidoso daquelas eleições, quando Aécio já se preparava para receber a notícia de sua vitória, uma inesperada reviravolta aconteceu e Dilma acabou levando a faixa.

Tivemos que engolir goela abaixo o triunfo claudicante de Dilma Rousseff.

E, junto com as comemorações das hostes petistas, um dos pratos mais saborosos do cardápio era justamente cobrar minha imediata saída do Brasil.

Meu nome foi catapultado para o primeiro lugar nos *trends* mundiais. Chegaram ao desplante de organizar uma "Festa de despedida do Lobão", com mais de 11 mil confirmações de presença.

Leve-me ao seu líder

Em novembro daquele ano aconteceu mais um episódio lamentável: o então presidente do Senado, Renan Calheiros, restringiu o acesso do povo às galerias do Congresso por ocasião da votação das leis orçamentárias, gerando um grande tumulto durante o qual uma senhora de idade foi arrastada com violência pela guarda do Senado. Foi um protesto de grandes proporções.

Eu estava num *happy hour* no Iguatemi, tomando um Dry Martini com Rê e um sobrinho e amigo, o Puig, quando ouço a tal notícia.

Não sei se por estar totalmente envolvido na empreitada do impeachment ou pelo efeito causado pelo Dry Martini, acabei decidindo pegar um voo para Brasília logo na manhã do dia seguinte.

Quando chego à região da chamada Chapelaria do Congresso Nacional, verifico um amontoado de pessoas, contudo, bem inferior ao que esperava encontrar.

Mas o barulho era intenso, redes de televisão, nervosismo, empurra-empurra, protestos inconsoláveis daqueles que foram barrados na chamada Casa do Povo de forma tão arbitrária e grosseira.

De imediato me juntei aos insurgentes em frente à Chapelaria.

Os guardas que tomavam conta do local se mostraram amáveis e gentis, sendo que alguns deles até me pediam para tirar fotos, meio embaraçados diante daquela insólita situação, mas o fato é que o povo não podia entrar nas galerias.

Começou um burburinho e um senador estava de saída, passando por aquela pequena, mas enfurecida, multidão. Houve vaias, apupos e alguns dejetos foram atirados na direção dele, assim como na viatura que estacionara para trasladá-lo. De imediato, fui abordado por um jornalista a me notificar que seria eu o articulador daquela agressão. Perguntei ao sujeito de onde ele havia tirado semelhante ideia, e ele me respondeu, sem titubear, que eu era o Lobão e, portanto, já havia um consenso entre os jornalistas que lá estavam a fazer a cobertura de que partira de mim a orquestração da ação.

Não fosse um senhor que estava no local vendendo umas balas afirmar categoricamente que eu estava a uma centena de metros de distância do local do incidente, certamente teria mais uma manchete no meu currículo.

Enquanto isso, após mais de uma hora naquela embromação, apareceu na entrada da Chapelaria uma comissão de deputados e senadores a me chamar para entrar na casa. Estava do outro lado da calçada e de longe fiz sinal a eles de que não iria entrar caso não abrissem para todos.

Foi nessa tumultuada manhã que conheci ali um grande amigo, o Vinicius Carvalho (um jovem estudante de direito que estagiava no

Congresso Nacional e que, logo em seguida, o chamaria doravante por Misifio), o Marcelo Reis, líder do movimento Revoltados Online, e a Bia Kicis, que viria a se eleger deputada federal quatro anos mais tarde.

Acabamos formando uma comitiva com o Marcelo Reis e o Misifio, e finalmente consentiram-nos entrar na casa para tentar resolver aquele impasse.

Fomos conduzidos pelas escadarias, cercados de repórteres, assessores, deputados, senadores, quando um parlamentar de oposição que vinha caminhando na direção contrária nos lançou alguns impropérios não muito adequados a um funcionário público eleito pelo povo, mas achamos jocoso seu destempero inapropriado.

Já estava ficando meio cansado daquela encenação toda quando fui interpelado por um segurança de terno e gravata sobre quem eu estava procurando.

Sem transição, respondi: "Leve-me ao seu líder. Eu quero falar com o presidente do Senado imediatamente." Alguns parlamentares que nos conduziam tentaram me explicar que seria melhor, antes de qualquer coisa, nos dirigirmos ao gabinete do deputado federal Antonio Imbassahy e lá engendrarmos alguma ação mais objetiva.

Era impressionante como Misifio se esgueirava elástico e ágil por aquela multidão de ternos e crachás, e invariavelmente conseguia entrar em todos os setores nos quais investia.

Ele me olhava com um sorriso maroto e dizia: "Ainda bem que não repararam que meu crachá é minha carteira de estudante." O que é capaz de conseguir um sujeito com 100% de convicção, não é verdade?

Antes de chegarmos ao gabinete do deputado, tropecei num púlpito para entrevistas coletivas e me deparei com dezenas de jornalistas ao meu redor querendo saber da minha "visita". Não me fiz de rogado e concedi uma detalhada declaração do porquê da minha ida a Brasília, da minha indignação da virulência com que a senhora foi submetida (se chamava dona Ruth e a conhecemos à noite num restaurante japonês).

Quando adentramos o gabinete do deputado, me lembro do Ronaldo Caiado, do Rodrigo Maia, do Sóstenes Cavalcanti, do Jair

Bolsonaro, entre outros. Todos tentavam dar uma solução viável, tanto em relação à proibição do povo nas galerias como também sobre minha possibilidade real de falar com o Renan Calheiros.

Como estava de camisa Hering, jeans e tênis, não estava com a indumentária exigida para frequentar a tribuna do Congresso, local mais adequado para meu pronunciamento.

De bate-pronto, Bolsonaro retirou seu paletó e sua gravata e os ofereceu solicitamente, me alertando: "Veste esse paletó, amarra essa gravata no pescoço e sobe lá, Lobão. De terno você pode falar."

Sinceramente, aquele gesto me tocou, tamanha diligência e expediente. Contudo, haveria de estar vestido muito mais apropriadamente para subir à tribuna, e o plano foi abortado.

Ficamos de bate-papo no gabinete, conversando sobre os desígnios da pátria, as possibilidades reais de um impeachment, uma articulação mais coesa e presente dos parlamentares de oposição, para depois nos dispersarmos rumo ao restaurante japonês.

Em seguida, eu, Marcelo e Misifio rumamos céleres para a PGR (Procuradoria-Geral da República) no intuito de descolar um *habeas corpus* para o povo voltar às galerias do Senado. Debalde.[1]

Com essa rapaziada reunida, Misifio; Marcelo Reis, meu querido amigo e futuro versionista para o espanhol da canção "O que é a solidão em sermos nós"/"O Que Es la Soledad en Sermos Nosotros"; Manoel Martinez; dona Ruth, senhora vítima da violência policial no Senado, pivô da minha ida ao Distrito Federal; e alguns daqueles parlamentares, prosseguimos com aquele "filosobol" entusiasmado, alegre e um tanto fútil noite adentro entre sushis e saquês.

Aquele ano se encerraria com um vibrante *hangout* de Natal com Olavo de Carvalho, Bia Kicis e Marcelo Reis.

Se Dilma ganhou as eleições, não importava. Não deveríamos perder o foco de prosseguir na tentativa do seu impeachment.

E, sendo assim, como não poderia deixar de ser, 2015 nos reservaria ainda mais emoções...

Capítulo 11
2015 | A posse da impostora

O ano de 2015 já começa com uma verdadeira patuscada: a posse de Dilma Rousseff.

Assistia pela TV de Cachoeira do Sul, onde quase sempre passamos nossas festas de fim de ano, e percebia naquela cerimônia insólita o prenúncio do fim.

A Esplanada dos Ministérios vazia, com alguns gatos-pingados movidos a mortadela, a posse, o desfile em carro aberto... Aquilo tudo me gritava que aquele governo não iria sobreviver até o final do mandato.

Uma posse com cara de fim de festa.

Puig, meu sobrinho, já havia declarado na semana anterior que, desde os seus 14 anos, vinha guardando dinheiro para comprar uma passagem só de ida para Londres e, quando recebeu a notícia de que passara na Faap para fazer cinema, explicou à família que não conseguia se enquadrar nos moldes de ensino a que estava sendo submetido. Sendo assim, preferiria se arriscar a morar sozinho na Inglaterra e obter seus conhecimentos por lá.

De início, todos nós ficamos chocados, não só pelo impacto surpreendente da notícia, mas também pela determinação e estoicismo dele.

Puig é um garoto que estuda muito, lê muito, se interessa por praticamente tudo. Toca incrivelmente bem guitarra e baixo e, mesmo com sua compleição magra e de uma brancura quase transparente por não pegar muito sol, canta blues feito um negão.

É um aficionado por cinema, daqueles frequentadores assíduos de ciclos de cineastas tipo Fellini, Bergman, Buñuel, Pasolini etc.

Vira e mexe estamos fazendo uns sons no meu estúdio, tocando umas músicas do Yes ou do Humble Pie, Grand Funk Railroad, pois ele ama os anos 1970.

Na verdade, o Puig não sai da nossa casa, ora partindo para um lanche com a Rê, ora fazendo um som ou assistindo *Doctor Who* comigo... Portanto, saber que ele vai pegar um avião sem ter a menor pretensão de voltar de novo me deixou muito triste.

Mas, por outro lado, estava orgulhoso. Puig seria a única pessoa a participar do meu próximo disco, tocando guitarra numa música que eu havia composto para sua mãe, Mônica (irmã da Regina). Ele gravou seu solo justamente na noite (29 de agosto de 2014) em que havia sido decretada a morte cerebral da Mônica em virtude de um severo câncer no ovário.

Puig gravou seu solo em pé, olhando para o infinito, despejando toda sua emoção naquela guitarra, num momento de profunda concentração. Nós passamos a faixa gravada para seu iPhone e partimos direto para o hospital... calados.

Chegamos à enfermaria e nos encaminhamos céleres para a UTI, onde ela ainda estava ligada em aparelhos.

Puig retirou uns fones de ouvido, colocou na sua mãe e pôs a música para tocar.

Nós dois só ficamos ouvindo aqueles agudinhos que escapavam dos fones de ouvido, enquanto a canção se desenrolava. Foi nossa despedida da Moniquinha, que, na madrugada do dia 30, teria os aparelhos desligados.

Bem. Esse é o nível de vínculo que nós temos e, sendo assim, dá para imaginar o buraco que sua ausência faz por aqui.

E a coisa foi muito rápida. Logo no dia 15 de janeiro, em meio a uma atmosfera de grande comoção, a família toda foi reunida em caravana para o aeroporto de Cumbica levar nosso Puigaço para seu embarque.

Eu estava meio catatônico, havia começado a compor uma canção nova na véspera, na viola caipira, e, como estava em processo de composição, carregava um bloco de anotações por todo canto. E não seria diferente no embarque do Puig, quando anotei algumas frases que seriam anexadas à letra do que seria a faixa-título do próximo disco: *O rigor e a misericórdia*.

Frases que escrevi enquanto o carro se dirigia ao aeroporto, assim também como quando observava o avião subir aos céus, e aqui estão algumas delas, ainda soltas:

> Cair pro alto, se arriscar com o coração mais triste que o fim dos dias... Átomo por átomo, a queda não enobrece a quem jamais saiu do chão... Céu azul, bambus, despenhadeiros, e a cada despedida é um corpo estranho na ferida... A estratosfera te espera e eu só te juro que não vou chorar... O renegado assume as asas que aspirou e grita: aleluia!

E, nesse clima repleto de emoção e divagações, nosso querido João Puig partiu para Londres.

E, nesse clima repleto de emoção e divagações, um dos trabalhos mais interessantes da minha vida estava se desenrolando: iniciara praticamente do nada um projeto de compor um repertório para um disco em que deveria fazer todas as letras e músicas, tocar todos os instrumentos, gravar, mixar e produzir, além de registrar todo o processo num livro que nasceria por acaso.

O livro era uma encomenda para fazer o que estou fazendo agora: atualizar minha autobiografia. Contudo, o texto adquiriu vida própria e se transformou numa espécie de diário de bordo, onde anotei todo o processo de criação de cada canção.

Portanto, haverei de ser um pouco menos detalhado nesse relato desse atual adendo, deixando aos mais interessados a dica de leitura do *Em busca do rigor e da misericórdia*, que é uma verdadeira viagem no processo criativo de um artista.

No entanto, não deixarei de registrar por aqui alguns dados que considero importantes para o fluxo do relato da minha história.

Como produzi *O rigor e a misericórdia*

Na verdade, a música-título haveria de ser a última faixa do disco a ser composta, enquanto a primeira da série de composições feitas para esse disco, incluiria "Ação fantasmagórica a distância", seria meu experimento inaugural.

Fora essa canção, ainda composta na nossa primeira casa em São Paulo, iria resgatar, lá dos idos de 1997, um blues meio espanholado chamado "Alguma coisa qualquer", que havia composto sob medida para minha querida Cássia Eller, que acabou não gravando a música em virtude de minhas brigas com as gravadoras.

Acabaria finalmente gravando essa canção emocional, com uma introdução cheia de citações do "Concierto de Aranjuez", para desaguar num blues (um shuffle, na verdade), de batida pesada, com solos de guitarra misturados à cadência do espanholado violão de náilon e os acordes do Fender Rhodes, tudo em 6/8. A letra fala sobre um abandonado chorando um amor perdido: "Desisti de ficar tentando explicar tudo o que eu não sei, se pra você pensar em mim é a pior forma de amar. O que fazer de mim de você de mim. De você?/Mesmo assim, se eu conseguisse alguma forma mentirosa pra você falar. Te imitar em tudo até chegar à precisão de uma traição... alguma coisa qualquer me responda me dê... um sinal".

Os dias se passavam e eu transitava por vários instrumentos, anotando os respectivos temas. Ora na viola caipira, ora no violão seresta, quando comecei a formular uns arpejos "classicosos" no meu *synth* (atualmente finado) Nord Lead II, em que programei umas quatro camadas de vozes, com a linha do baixo da mão esquerda fazendo contraponto com a linha principal da mão direita. E acabei compondo um tema pomposo, tonitruante, que chamaria de "Overture" e serviria para exatamente esse propósito: abrir o disco.

Em seguida, compus no meu violão Del Vecchio modelo Seresta "O que é a solidão em sermos nós", enquanto minha Regina fazia um passeio pela Espanha e Portugal com sua mãe e irmãs, em 2012. É um devaneio sobre nossa inarredável condição humana, o fado de nascermos sós e morrermos sós.

Afinal de contas, a solidão é a matéria escura da coletividade e a energia escura que esconde o paraíso: "e sem a tempestade eu não sou o que sonhei, e sem atravessar a dor não há como entender, que não importa se é cedo ou tarde, tudo agora é cedo e tarde: tempestade, sonho, dor e solidão/Os sonhos são segredos que o tempo não apagou e o medo do silêncio é a lembrança de ser só./Saudade não é apenas sentir falta de alguém, saudade é a presença da falta a nos gritar, mas se alguém ou alguma coisa vive agora em mim, o que é a solidão em sermos nós?".

Optei por gravar a faixa apenas com o violão acrescido de uma camada grave de sintetizador, como uma seção de violoncelos e contrabaixos.

E acabei cantando-a em espanhol devido às suas origens e graças ao trabalho magnífico de versá-la para o castelhano do meu querido amigo Manoel Martinez.

"Profunda e delirante como o sol" foi uma tentativa de fazer uma canção ascensional, solar, ou seja, um tema muito raro num compositor que sempre se enamorou pela chuva, pela tristeza, pelo frio e pela noite. Me senti inseguro por tratar de um assunto tão perigosamente sujeito a se tornar piegas, mas creio que fui bem-sucedido na empreitada.

A parte musical foi toda feita anterior à letra, e me inspirei nos *riffs* e nos timbres do Hendrix em "Drifting", ou "Angel", como também em "Fat Old Sun", do Pink Floyd, e no espírito ascensional barroco...

E a intenção era fazer uma canção de estrada, para ouvir sob um céu de azul intenso, rodeado por paisagens incríveis... "Quero o voo, o céu, ventania, encantamento, casas, chaminés, eternidade em movimento... E o que eu quero é subir a estrada, viver a vida iluminada, profunda e deslumbrante como o sol".

Assim, "Sangra a mata" foi desenvolvida através de um *riff* simples, em retumbante sol maior no violão de aço, que foi recebendo sua camada de letra através da minha experiência profunda no coração da floresta amazônica, por ocasião da tal minha visita ao garimpo, e, com toda a certeza, um dos meus principais estímulos em escrever essa letra foi o fato de ter sido proibido de falar das queimadas e do mercúrio na água do garimpo durante a gravação do programa: "No embalo das águas ao sabor da maré, o negro e o vermelho das chamas... nas margens igrejas em igarapés, fiéis a clamar esperança, ahhhhh! E assim sangra a mata, ahhhhh! O vapor do mercúrio... ahhhhh! É o preço do homem, sangue e fumaça, beleza cruel."

Natural meu desejo de eternizá-la em forma de uma canção.

A música é de natureza delicada, e por isso gravei a bateria com escovas, baixo sem muito ataque, o violão de 12 cordas fazendo os fraseados como se comentasse e dialogasse com a letra, além de um *glockenspiel* para dar uma impressão de caixinha de música.

Gravei um coro de vozes, como se pudesse soar como um lamento, como aqueles coros de teatro grego, e assim, quem sabe, também apontar sinais de esperança.

A "Marcha dos infames" foi composta para comemorar meu nome impresso na lista negra do PT, no site oficial do partido (uma espécie de convocação em que pedia a cabeça de certos jornalistas, eu entre eles, clamando pela "demissão imediata dessa gente já").

Sejam essas listas negras esquerdistas, sejam direitistas, não importa, cá estou com meu mantra: "Sou insimonalizável... insimonalizável..."

Aqui vai um extrato da letra: "Aqueles que não são. E que jamais serão... abusam do poder. Demência e obsessão... insistem em atacar com as chagas abertas do rancor, e aos incautos fazer crer que o ódio no peito é amor".

Adequei a canção a um estilo marcial (é óbvio), taróis de pelotões de fuzilamento, clima de Dragões da Independência, chapéus de penacho ao luar, uma interpretação vocal inspirada entre Inri Cristo e Bibi Ferreira, uma segunda parte instrumental meio Queen e...

voilà! A "Marcha dos infames"! Cinematográfica em sua vestimenta e tragicômica como meus adversários.

"Os vulneráveis" surgiu de uma tentativa de escrever um texto para minha coluna na revista *Veja*, que viria a ser abortado pela edição do semanário (e está na íntegra no livro *Em busca do rigor e da misericórdia*). O tema é a epidemia de autocomiseração que pairava sobre a agenda da esquerda (já nos dias de hoje, constatamos que sobre a agenda da direita também), nas suas formas mais variadas de expressão artística, algo que me irrita sensivelmente.

Vitimização, autopiedade, peninha de si próprio são atributos cafonérrimos, anti-rock'n'roll e dignos de todo o nosso repúdio, e, sendo assim, tentando fazer uma espécie de resumo poético do que seria o tal artigo para minha coluna, saiu a letra. Aqui temos um pequeno trecho: "O bobo sempre comemora, as vitórias que perdeu, e tudo mais que não lhe pertence, pois não percebe o que é seu/A incoerência de quem fala depende de quem vai ouvir, por isso evito os rebanhos e os donos do poder."

A música é um hard rock musculoso, com uma batida pesada, guitarras ao luar, *riffs*, solos pagianos, baixo pulsante. Inspiração: Humble Pie e Led Zeppelin, na veia, é claro.

"A esperança é a praia de um outro mar" é a canção que mencionei acima, com a participação do Puig na guitarra, feita em homenagem à minha querida Moniquinha, irmã da Regina, uma das responsáveis diretas pelo meu ingresso na família, uma pessoa que sempre acreditou em mim e confiou de coração seu filho como meu melhor amigo. E, como não poderia deixar de ser, trata-se de uma canção com um intenso teor emocional.

Como em sua doença terminal, não havendo mais esperanças de sobrevida, tratei de colocar a esperança em algum outro lugar, contanto que ela jamais desaparecesse do horizonte. Pode não haver mais esperança nessa vida, mas em outro mar ela reinará intacta.

Daí nasceu...

A esperança é a praia de um outro mar

A gente às vezes pensa até que vai compreender
E distinguir a alma
Da escuridão
Quem pode arriscar?
Pensando só não dá pra decifrar
Nem mágoas nem desejos podem definir a dor
E se pensar é descrer,
Perceber está além
De acreditar
Que a esperança é a praia de um outro mar
Quando o acaso toca os sinos da imperfeição
Um segredo, um milagre está pronto
Pra existir
Pra se repetir
E a diferença é a repetição
O deserto e o amor
Sonhos vão e vêm
O mistério aumenta quando
Tento desvendar
Uma súplica no ar
A esperança é a praia de um outro mar

Compus a parte musical numa craviola de 12 cordas, com apenas seis cordas das oitavas mais altas, dando assim uma tonalidade um tanto céltica ao clima.

Gravei um órgão no estilo gospel americano, uma batida marcada e solene na bateria e no baixo, um coro de muitas vozes, todo o instrumental desenhado como um berço para o solo magnífico do Puig na guitarra.

Essa é para você, Moniquinha querida.

"Os últimos farrapos da liberdade" seria composta envolta numa atmosfera de incerteza; se haveria de me deixar partir, deixar meu país e, assim, através de sua letra, experimentar essa sensação de exílio ("por trás daquele céu se escondem ilhas que eu precisei buscar, além daquele mar... e para além do mar, os barcos todos prontos pra zarpar de vez... de vez pra nunca mais/e eu sei que já vou tarde, vou com os últimos farrapos, de uma liberdade que essa terra deserdou... o silêncio de uma lápide não evita as tempestades, nem os gritos dos fantasmas nem as luzes da manhã").

A parte musical foi iniciada com um *riff* principal num bandolim, que eu tratei de transpor para a Rickenbacker de 12, com afinação de bandolim.

A atmosfera é onírica, melancólica e, ao final, invoca um enlevo envolto em esperança e... mais esperança.

"Uma ilha na lua" é uma espécie de interlúdio para eternizar meu amor pelo aconchego do nosso lar, da nossa vidinha, do nosso microcosmo familiar, minha mulher amada e, é claro, nossos três gatinhos queridos. Uma espécie de ode às coisas simples da vida, uma ilha de felicidade conquistada através do amor, da compreensão e da vontade: "A alegria vem com o frio da manhã e com a compressa quente de um ronronar, um embalo doce de ninar e nós... na cama/na floresta encantada dos tigres mirins, para os gatos, o jardim é uma selva, o aconchego é o espírito que faz quando o lar é a alma/Luar, luar, tanto céu e tanta estrela pra contemplar, luar, luar e quem sabe uma ilha na lua... Com os olhos de ouro, esmeralda e céu, Dalila, Maria Bonita e Lampião. E meu amor com olhos de farol e isso é para sempre".

A música é amparada num arpejo no violão, saltitante como um gato brincando com uma bola de lã, um sintetizador emulando uns miaus, a voz e mais nada. Simples assim...

"A posse dos impostores" foi feita meio que de bate-pronto, sob o impacto das minhas sensações pouco agradáveis em assistir de Cachoeira do Sul à posse de Dilma Rousseff, e foi composta com um tema desenvolvido no sintetizador, repleto de vozes fantasmáticas, num tema que invoca uma catástrofe apocalíptica.

A batida da bateria com o baixo é inspirada em *Electric funeral*, do Black Sabbath, e a interpretação foi elaborada para soar como um barítono ucraniano... ("Não há sombra de fúria no Planalto Central, na fraqueza mortal do rebanho no redil/É a Odisseia do insulto, a vitória ideal/Do Fracasso, do débil, do inútil servil/Da Terra do Nunca, onde é proibido crescer, à Terra do Menos, onde o esmero é encolher, paraíso minúsculo do impostor, da fraude sem escândalos, amnésia e calor/Esterilizando mamatas, silêncio e lorota, a mordaça é a grana e patrulha, a chacota. Gritar, vou gritar: Até quando vão enganar o rebanho no redil alegre a sambar?").

"Dilacerar!" é fruto de uma consulta ao *I Ching*, pensando no tema de guitarra que havia acabado de compor. Desejava saber se haveria alguma relação sincrônica entre o clima rascante do *riff* da guitarra e o que poderia me dizer o oráculo: Irromper (A determinação) foi o que me apareceu.

Esse hexagrama significa, por um lado, uma abertura do caminho após uma prolongada tensão, como o irromper de um rio através de seus diques ou como a descarga de uma chuva torrencial. Por outro lado, aplicado às condições humanas, significa a época em que os homens inferiores começam a desaparecer. Sua influência decresce e uma ação decidida abre caminho para novas condições. Esse hexagrama é atribuído a abril-maio: 1) A determinação deve basear-se numa união de força com amabilidade; 2) Não é possível um comprometimento com o mal; ele deve ser abertamente desacreditado. Sejam quais forem as circunstâncias. Nem se deve procurar encobrir suas próprias faltas e paixões assim; 3) A luta não deve ser conduzida diretamente através da violência. Quando o mal é denunciado e acusado, tende a reagir recorrendo às armas, se lhe fazemos o favor de responder golpe por golpe, ao final sairemos perdendo, pois seremos envolvidos por ódio e paixão. Por isso, é necessário começarmos por nós mesmos, evitando cometer os erros que censuramos. Não encontrando adversário, as armas do mal perdem naturalmente seu caráter cortante. Do mesmo modo não devemos combater nossos próprios defeitos. Enquanto insistimos em desafiá-los, permanecerão vitoriosos; 4) A melhor maneira de combater o mal é procurar progredir com energia em direção ao bem.

Dilacerar!

Dilacerar...
Os anos vão passando e no entanto estamos todos nós aqui
Lutando amando e vivendo prontos para tudo
Como sempre foi... seja o que for
Dilacerar
Foi o que aprendi a fazer quando tive
Que me defender
Dessa maldição
Essa espécie de vontade estranha
Que é ritualizar a distância a destruição
E o que é banir?
Quando conseguimos em um instante para sempre nos entrelaçar...
Em qualquer lugar em qualquer tempo sem acaso e sem imperfeição.
Sem desproporção
Ser amor e só
E atravessar
As cinzas da dor
O absurdo é um mistério prenhe de milagres a se esconder...
Da compreensão
E viver o amor
Não vai durar o triunfo do Idiota
Porque o absurdo é a minha arma
E a tormenta é o meu refrão

Ou seja, transformar a energia da tormenta em poesia, dilacerar as cinzas da dor através do amor, sendo o absurdo um mistério prenhe de milagres, pois o milagre é só um absurdo por estar além da nossa compreensão e... viver o amor.

Gravei duas guitarras solo se entrelaçando (eu me diverti à beça gravando guitarras e baixos nesse disco, como se fossem presentes novinhos em folha), uma batida de bateria e baixo sincopados, teclado onírico, um Fender Rhodes... e assim nasceu "Dilacerar!".

A expressão da faixa-título ("O rigor e a misericórdia"), que já comentei por alto um pouco acima, foi retirada de um texto do Olavo de Carvalho sobre poesia e filosofia, em que o filósofo citava uma metáfora muçulmana para designar a poesia e a filosofia: a filosofia é o rigor e a poesia, a misericórdia.

Além da beleza intrínseca da expressão, concluí ser um título perfeito para o conceito geral do disco, que começava a se aproximar de uma ópera-rock conceitual, típica dos anos 1970.

A letra vem recheada de *insights*, epifanias, sonhos, esperanças, experiências sensoriais, perdas e símbolos dos mais variados: nós somos o universo a perceber! Nossa percepção é um imperativo do universo. O universo precisa se autocontemplar. O universo só existe porque é observado, somos inteligentes porque o universo é inteligente! A poesia é um sonho que se organiza que recolhemos na vigília, e rezar é namorar a morte. Com contrição, todos os sentidos são do universo! A energia escura se expande gloriosamente porque o paraíso acolhe voluptuosamente a cada instante mais e mais almas de todos os recantos de todos os universos. Daí a inflação e o distanciamento dos corpos celestes, galáxias, estrelas, em progressão exponencial! Tudo preenchido por almas!

Percebam que, para um cara começar a escrever qualquer tipo de poesia, ou letra, ou qualquer coisa do gênero, deve se desprender de qualquer amarra em relação ao ridículo potencialmente implícito em sua busca.

Portanto, penso, logo exilo. Pensar requer coragem e se propor a enfrentar um deserto de solidão. Penso, logo, exilo, e um deserto se dilata no perfume da tua falta.

E acabo por concluir: entre a filosofia e a poesia, a poesia é infinitamente mais poderosa.

O tema musical foi todo composto na viola caipira, com variações múltiplas, vocal inspirado em Zé Ramalho e um arranjo de teclados ecumênicos, órgãos catedrálicos, atmosfera delirante, sustentados por um maracatu híbrido...

E assim surgiu:

O rigor e a misericórdia

A chuva que golpeia a pedra que golpeia o coração de chuva
me faz imaginar que todo herói se diverte só
E também me faz lembrar que os preguiçosos odeiam o mistério
Possuímos o que desejamos
mas nem sempre somos o que imaginamos ser
Céu azul, bambus, despenhadeiros
E a cada despedida é como um corpo estranho na ferida
A estratosfera te espera
e eu só te juro que não vou chorar
A poesia é como um sonho que se organiza
e rezar é como a morte
Tão sobrenatural como uma nuvem
perdida no silêncio da manhã
Cair pro alto, se arriscar
mesmo com o coração mais triste que o fim dos dias
Átomo por átomo
a queda não enobrece a quem jamais saiu do chão
Em que estrela, meu amor, o teu sorriso andará para encontrar a
[redenção do meu povo?
Entre abismos de abismos das batalhas que lutamos
ombro a ombro, vamos celebrar com uma colher de sol!
Todos os sentidos são do universo
que o mistério de um beijo bêbado escreveu no céu

com um relâmpago o seu nome
Penso, logo, exilo e um deserto se dilata no perfume da tua falta
Desespero, sangue, bestial tormenta, esplendor, o tempo é nunca,
[e será que a energia
escura esconde o tal do paraíso?
O renegado assume as asas que aspirou e grita: aleluia!
Todos os sentidos são do universo
que o mistério de um beijo bêbado escreveu no céu
com um relâmpago o seu nome
Penso, logo, exilo e um deserto se dilata no perfume da tua falta
Desespero, sangue, bestial tormenta, esplendor, o tempo é nunca,
[e será que a energia
escura esconde o tal do paraíso?
O renegado assume as asas que aspirou e grita: aleluia! Aleluia!

Aleluia! Considerei ser uma atitude bastante atrevida conceber um disco semi-prog rock setentista. Com toda a certeza minha carreira se divide em antes e depois de *O rigor e a misericórdia*.

Capítulo 12
2015 | Os panelaços

Com as dificuldades surgindo para produzir uma turnê de lançamento de *O rigor e a misericórdia*, decidi fazer um show com produção mais enxuta, tipo voz e violão, especial para teatros, e fechamos uma turnê que passava por várias cidades brasileiras.

Enquanto resolvíamos como o disco iria ser veiculado comercialmente (ele ainda estava sendo gravado), prosseguia a escrever o livro, que tinha seu lançamento marcado para agosto.

Regina e eu decidimos fazer a tal turnê de voz e violão para tentar repercutir os novos trabalhos, ganhar nosso dinheiro e testar a quantas andava a tal sanha dos petistas em relação à minha pessoa.

O primeiro show da turnê foi em São Paulo, no Teatro Bradesco, e vocês podem imaginar a atmosfera efervescente em que esses shows foram realizados: os panelaços espocavam em todo o Brasil, o clamor do impeachment de Dilma crescia a cada dia e a imprensa chapa-branca andava descontrolada tentando reverter a opinião pública a golpes de machadinha.

A afluência de público era volumosa... Casas cheias e audiência receptiva, cantando junto, e eis que, naquela noite memorável em São Paulo, me dá na telha de trocar "Vida bandida" por "Dilma bandida", com direito a toda a plateia entoar o refrão comigo a plenos pulmões: "Dilmáááá! Dilma, Dilma, Dilma, Dilma bandida". As pessoas aderiram de imediato àquela espécie de grito primal, um grito de basta a todo aquele abuso, a toda aquela fanfarronada grotesca e criminosa do PT.[1]

Mas alguns jornalistas presentes não gostaram muito, os cardeais petistas muito menos, e eu dando aquela força pro circo pegar mais fogo ainda.

Comecei a perceber algo importante em termos de estratégia: a soma de impotentes não resulta em nada mais do que mais impotência. E era exatamente isso o que se sucedia: um fuzuê terrível na imprensa, barulho e lorotas nas redes... e os shows lotados.

Começavam a sair nos jornais e blogs vitupérios dos mais psicodélicos: "Lobão se afunda vertiginosamente ao trocar música por desrespeito",[2] "Lobão cobra R$ 700 para tirar fotos com fãs no camarim, mas ninguém paga",[3] "Lobão não consegue metade do que queria para financiamento do disco".[4]

Às vezes, na nossa vida, é necessário se expor um pouco, provocar o sistema estabelecido, para, assim, promover possibilidades mais claras de perceber a realidade pouco bonita em que vivemos.

Eis que surge meu amigo Diovainne

Minha vida parecia estar sendo passada num liquidificador. Estava no meio daquela divertida e tumultuada turnê, providenciava o *crowdfunding* e sua campanha (cruzando os dedos para dar certo), escrevia o livro nos quartos de hotel e nos aeroportos, além de ter que finalizar as gravações e a mixagem do disco.

No meio desse redemoinho, meu computador do estúdio "morre".

Sim, faleceu em virtude de um dia inteiro com a energia elétrica do bairro dando picos de voltagem, que nenhum transformador ou regulador teve condição de amenizar. E, assim, lá estava eu com todo o projeto do disco paralisado.

Com um engenheiro de som amigo meu, consegui um nome para ir consertar a máquina.

No mesmo dia, me aparece em casa um sujeito solícito, carregando uma torre de computador enorme consigo, com uma voz possante, jeitão humilde subindo célere para o estúdio.

O rapaz adentra o recinto, retira com desembaraço a máquina falecida, substitui pela que trazia consigo numa velocidade impressionante, instala todos os plug-ins que eu possuía, além de outros tantos que eu nem sequer sabia da existência.

Logo em seguida, fez rodar a máquina, me apresentando uma faixa que ele disse estar mixando.

Era um som evangélico, o que me causou uma certa espécie, confesso.

Contudo, a qualidade de gravação era excelente!

Fiquei intrigado com aquela situação exótica: um cara me aparece para consertar meu computador, se mostra um excelente engenheiro de som, com seu *background* de música evangélica e sertaneja.

Com minha curiosidade se intensificando a cada momento, tendo eu passado um verdadeiro calvário cibernético durante aqueles meses todos tentando gravar o disco sozinho, percebo que tenho naquele cara uma pessoa que poderia me dar uma luz em todo aquele processo.

Perguntei a ele seu nome... Giovani? Não, disse ele: "É Diovainne".

Diovainne, além de ser um engenheiro de som de raro conhecimento técnico, atualizadíssimo tecnologicamente, é um cantor retumbante!

Canta com rara emoção (e contrição) seus louvores evangélicos com a potência de um tenor de ópera! (Ele também é tecladista e compositor.)

E assim se iniciou uma amizade que, a princípio, eu considerava extremamente improvável e que viria, na verdade, a se fortalecer ao longo dos anos, tendo eu no meu novo amigo alguém que me ensinaria uma infinidade de procedimentos de gravação, como operar uma série de plug-ins desconhecidos até então, proporcionando, assim, um verdadeiro salto quântico nos meus conhecimentos de gravação, de mixagem e de masterização.

Com a presença de Diovainne no projeto, decidi recomeçar tudo outra vez. O material que já estava gravado foi remixado e o que restava foi gravado com mais qualidade e capricho.

A partir de então, temos realizado juntos uma série de trabalhos, com meu querido Diovainne me dando todo o suporte de seu conhecimento e amizade.

Como é bom fazer amigos...

E assim o ano corria em velocidade e intensidade estonteantes.

Andei por vários estados com o show.

Em Santa Catarina, estreamos em Itajaí, no seu lindo Teatro Municipal, com a lotação esgotada e rumores de que o ministro da Justiça havia telefonado para lá, pedindo o cancelamento do meu show, pois "se tratava apenas de um arruaceiro, e não de um artista!"... É inevitável: a censura sempre favorece o censurado.

Em seguida, fizemos Blumenau e Florianópolis.

Passamos ainda por Rio de Janeiro, Fortaleza, Natal, Jequié, Ilhéus, Teixeira de Freitas.

Quando cheguei ao Rio Grande do Sul, soube do cancelamento do show em Novo Hamburgo: só haveria o show em Porto Alegre.

O show de Porto Alegre ocorreu justamente no dia do grande panelaço contra Dilma, e, como não poderia deixar de ser, tivemos uma noitada excelente com um Teatro Bradesco lotado.

Lançamento do livro *Em busca do rigor e da misericórdia*

O lançamento do meu terceiro livro haveria de me causar muitas surpresas. Estava contando com mais outra excelente venda para engendrar no vácuo do seu sucesso o lançamento do disco. Portanto, o livro seria parte central para a visibilidade do disco, já que tocar em rádio deixou de ser uma opção há muitas décadas.

Contudo, para minha decepção, os resultados foram próximos ao nulo. Meu livro mais bem-elaborado passou em brancas nuvens e, com as nuvens, afundava o projeto de lançamento do disco.

O ministro da Defesa me faz um mimo!

Eu continuava a provocar tremelicantes paixões e rútilos rompantes em pessoas que ainda não estão prontas para receber meu amor em sua forma integral, e, por essa incapacidade emocional momentânea, acabam por cometer atos descontrolados, certamente sob o peso de um amor não revelado. E esse descompasso, não raro, acaba resultando em insólitas reações de que essas mesmas pessoas são vítimas.

Dessa vez, quem entrou em cena para deixar sua marca foi o então ministro da Defesa(!), Jaques Wagner, que, de súbito, sem mais nem por quê, me posta este tuíte dizendo o seguinte: "Hoje, na política brasileira, há dois times em campo. De um lado, em defesa da democracia, está a equipe formada por grandes artistas e expoentes da cultura nacional como Gilberto Gil, Osmar Prado, Matheus Nachtergaele e Jô Soares. Eles reconhecem que o país atravessa um momento difícil, mas pregam o respeito." Para além da minha magnética pessoa, são retratados como inimigos do povo Aécio Neves (então PSDB), o deputado federal Paulinho da Força e Ronaldo Caiado.

E emenda Wagner: "Os personagens de sempre, do time do pessimismo, do 'quanto pior melhor', dos que colocam suas ambições eleitorais(!) acima da estabilidade institucional do país e dos que saíram derrotados pela quarta vez seguida, porque, quando tiveram a chance de governar o Brasil, só produziram desemprego, arrocho e crises."

Eu só posso agradecer ao então ministro tamanha disponibilidade, dedicação e consideração.

Capítulo 13

2016 | Os Eremitas

Quando imagino que a intensidade dos fatos tenderia a diminuir, eis que rompe 2016, um ano repleto de acontecimentos dramáticos, as maiores manifestações de rua da história, vitórias de Pirro, perdas dolorosas (meu Lampião, meu Lampião) e mais lutas.

Os *hangouts*, que produziram aquele efeito aglutinador e de informação, chegavam ao seu final.

Um certo dia, recebi uma mensagem do Olavo de Carvalho alegando não mais poder participar de *hangouts* em virtude de uma reclusão necessária para empreender um novo livro. A notícia muito me alegrou, pois nosso amigo não escrevia livros havia bastante tempo, e todos estavam curiosos para apreciar a nova obra de Olavo (continuamos na espera e na torcida!).

Soubemos que nosso querido mestre Rodrigo Gurgel teria se deslocado até a Virgínia para dissuadir Olavo de largar as redes sociais e focar em sua obra literária.

De minha parte, fiquei um tanto aliviado, pois também estava muito atribulado com a remixagem de *O rigor e a misericórdia* e seu subsequente lançamento.

O Diovainne praticamente acampou no estúdio; trabalhávamos mais de dez horas por dia aprimorando a qualidade de som daquele que seria meu trabalho mais importante entre todos que já havia realizado até então.

Sendo assim, a era dos grandes debates que iriam alavancar uma boa parte da população às ruas e a esclarecimentos muito importantes chegou ao seu fim com um saldo de conquistas incrível para seu diminuto tamanho e sua improvisada precariedade de produção.

O rigor e a misericórdia é lançado, nasce Os Eremitas da Montanha

Como ressaltei anteriormente, toda a minha estratégia de geminar o livro (*Em busca do rigor e a misericórdia*) com o disco foram por água abaixo. Me fiei demais no fato de ter virado um escritor best-seller a ponto de ultrapassar em vendas e visibilidade meus discos. No entanto, *Em busca do rigor e a misericórdia* foi um verdadeiro fracasso de vendas.

E lá estava eu com um disco pronto para sair e sem seu maior motor de arranque.

Havia (e ainda há) uma outra realidade preocupante: o astronômico número de shows cancelados. Para cada show realizado, cinco eram cancelados, causando, assim, uma tensão considerável em relação ao futuro do disco e do nosso futuro propriamente dito.

É bastante sintomático e preocupante esse expediente de militantes políticos a invadir os sites dos contratantes, ameaçando-os de depredação das casas de espetáculo caso me contratem.

O projeto de arrecadação de dinheiro para a produção do CD foi um grande sucesso, um recorde de arrecadação e premiado pela BMX como projeto mais criativo do ano.

Fora isso, o disco recebeu um bom espaço na crítica especializada e acabou até razoavelmente bem falado.

Para seu lançamento, reativei minha banda no intuito de executar o disco como se fosse um trabalho fechado, um filme, uma ópera-rock, e, para isso, deveria incluir mais um novo elemento, para assim podermos executar os intrincados arranjos.

Eu tinha perfeita consciência do tamanho da ousadia daquele projeto, mas, se havia algum momento para tentar uma excentricidade dessa natureza, a hora era aquela.

Assim, o que era um *power* trio virou um quarteto: Armando Cardoso, que já tocava comigo desde 2008, na bateria; Guto Passos, tocando comigo desde 2015, no baixo, sintetizador e vocais; e, a partir de então, vindo do Rio de Janeiro, Christian Dias (guitarrista da já lendária banda Astro Venga), nas guitarras, sintetizador e vocais.

Iniciamos uma série de shows como intuito de experimentar as diversas canções novas, antes de ousarmos tocar o disco na íntegra, e, em pleno inverno de 2016, num show em Cariacica, na serra do Espírito Santo, quando estávamos prestes a adentrar o palco, a banda se reuniu no camarim. Levantamos nossos copos de vinho para brindar à nossa estreia e eis que nos flagramos todos barbados, cabeludos, encasacados, prestes a fazer um show nas montanhas naquele delicioso frio. E, num lampejo de inspiração dionisíaca, o Christian dispara: "Aos eremitas da montanha!"

Nascia, assim, Os Eremitas da Montanha.

Para um ermitão urbano que acabava de ter uma experiência intensa com a solidão criativa num projeto de fazer praticamente tudo sozinho, me flagrar pertencendo a uma banda de novo era uma alegria.

Desconfio que todo baterista é, antes de tudo, um ser fadado a ansiar por um grupo, e minha história sempre foi nesse sentido, embora os resultados me empurrassem para a direção contrária.

E nessa atmosfera de iminência de impeachment, fracasso de vendas do livro, nova banda, *O rigor e a misericórdia* foi lançado em meio a sucessos e derrotas.

Um disco singular em sua época, pois deve ter sido um dos únicos documentos musicais a mergulhar e contar através da música a história daquele momento tão importante que todos nós brasileiros vivíamos, com uma sonoridade peculiar, difícil de ser enquadrada em qualquer estilo, numa linguagem e texturas que levaram muitos anos até desaguar naquelas canções, naqueles arranjos, naquela opereta-rock.

A capa (por sinal, um primor) foi realizada pelo meu querido sobrinho Puig, que lá de Londres estava desenvolvendo seus conhecimentos de cinema, fotografia e música e se tornou um grande parceiro em inúmeros projetos.

Agora é tarde (Companheiro)

No meio daquela tensão toda, com a Dilma cai mas não cai, o presidente da Câmara (Eduardo Cunha) e pivô do impeachment da Dilma prestes a ser preso, o Lula razoavelmente enrascado com uma enxurrada de denúncias a cada semana, eu imaginava que finalmente poderíamos desfrutar o sabor de uma vitória.

Naquela atmosfera de triunfo (antecipado), ainda em trabalhos de remixagem do disco, vou para o violão e componho "Agora é tarde (Companheiro)", uma leve sacaneada no Lula.

A música já existia, e a letra da canção foi feita para zoar os diretores das gravadoras na época da nossa épica briga, em 2002, no episódio da numeração dos CDs.

Mas, como acabei não lançando, dei uma adaptada com algumas "licenças poéticas" e a enderecei a Lula. Afinal de contas, o arquétipo do canalha é universal.

Agora é tarde (Companheiro)

Até que ponto que cheguei
Até que ponto que você me deixou
Até que ponto você mentiu
Até que ponto que você brincou
Isso sem contar o tempo que eu tentei
Falar contigo numa boa, sem brigar
E vem você me enlouquecendo lentamente
Tentando ignorar
A tua secretária me jurou de pé juntinho
que você tava do lado numa reunião
E o outro idiota me atendeu o telefone
Dizendo que você só volta no outro verão
E de madrugada lá no Guanabara
Quando a gente de repente se esbarrou

Eu procurei olhar na tua cara
Mas você amarelou!
Pois agora é tarde
Quem mandou ficar botando banca
Assim se achando
Eu bem que te avisei, mas você não escutou
(2v)
Agora é você que fica andando pelos cantos
Todo aí traumatizado sempre que me vê
Só de ouvir falar, troca de calçada
Muda de assunto, começa a se benzer
Há muito tempo que eu já lhe digo
Toma jeito, toma jeito, vamos conversar
Que o fantasma aqui sou eu, rapá
Se for pra horrorizar
Pois agora é tarde
Quem mandou ficar botando banca
Assim se achando
Eu bem que te avisei, mas você não escutou
(2v)

Quanto ao espaço e a reverberação de *O rigor e a misericórdia*, o disco passou em brancas nuvens, como já poderíamos esperar, mas, apesar desse revés empresarial, só posso agradecer ao destino, que me fez compreender a importância de persistir em fazer e buscar apenas aquilo que me apaixona e me desafia.

Tenho todos os motivos do mundo para agradecer a Deus por poder exercer minha liberdade, por poder aprender com minhas experiências de vida, por ter me autopropiciado momentos de intensa brincadeira musical. É uma dádiva poder se nutrir dos próprios erros, crescer com eles, e constatar, mais uma vez, que não há estilo sem fracasso.

E com meus fracassos prospero.

Capítulo 14

2016 | Meu Lampião

O ano de 2016 já começava em ebulição, e a população, esgotada, empobrecida, enganada, clamava em massa pelo impeachment de Dilma Rousseff.

É interessante perceber o improvável choque térmico que aconteceu com a reputação da "presidenta": venceu as eleições no final de 2014 e, já no início de 2015, aplicou um descarado estelionato eleitoral quebrando as promessas de campanha.

Logo no início do ano, sem dar uma pausa sequer a seu eleitorado, mandou avisar que haveria um ajuste de alíquotas sobre combustíveis, sobre operações financeiras, sobre importações, aumento dos impostos dos cosméticos. Ajustes que aumentariam a arrecadação em até 20 bilhões de reais. E não parou por aí: vetou a correção de 6,5% do Imposto de Renda e alterou regras trabalhistas relacionadas a pensões, seguro-desemprego e licença por questões de saúde.

Dilma veio pela primeira vez a público após sua posse, no dia 1º de janeiro, e sentenciou: "Tomamos algumas medidas que têm caráter corretivo. São medidas estruturais que se mostram necessárias em quaisquer circunstâncias."

O impacto na população foi o de uma bomba arrasa-quarteirão. Dá para imaginar a raiva e a decepção de quem acreditou nas promessas de campanha, tão recentes, de que não haveria arrocho à custa dos mais pobres, afirmando que os benefícios trabalhistas não seriam mudados "nem que a vaca tussa"...

Naquele momento, já havia um percentual muito alto de eleitores desiludidos (60%) a ansiar pela deposição da presidente.

Além daquele descarado golpe na população, havia fortes indícios de que a campanha de 2014 fora financiada com dinheiro desviado da Petrobras (Dilma presidiu o conselho da companhia quando os promotores acreditam que mais de 800 milhões de dólares foram roubados em propinas e canalizados para políticos do PT e aliados).

Para quem já havia terminado o ano de 2014 numa corda bamba da Lei de Responsabilidade Fiscal, salva pelas manobras mirabolantes de Renan Calheiros, o impeachment era uma realidade que se aproximava cada vez mais do Palácio do Planalto.

No entanto, mesmo com todas essas evidências robustas contra a presidente, nós aqui da oposição andávamos céticos que a justiça fosse empregada mediante tamanha blindagem que a estrutura de poder petista construíra ao longo de todos aqueles anos.

As manifestações

Com aquele quadro assustador, a sociedade civil se organizou em torno dos movimentos de rua em todo o Brasil e foi marcada uma megamanifestação para o dia 15 de março, que seria a maior manifestação da história do país e o evento que alavancou de forma inexorável o processo de impeachment de Dilma Rousseff.

Foi nesse clima preparatório para sublimar finalmente a derrocada do PT do poder, desde 2003 convivendo e aturando impunidade, apadrinhamentos, assaltos e conchavos, que o Brasil inteiro se mobilizaria e inundaria as ruas, deixando claro aos políticos o profundo anseio por justiça, pela deposição da presidente e pela prisão preventiva do ex-presidente Lula.

Era a quinta vez que o povo saía de casa para gritar "fora Dilma, Lula preso".

Esse clamor criou um sentimento temerário em grande parte das pessoas de que "qualquer coisa deveria ser melhor que Dilma", "qualquer coisa deverá ser melhor que o PT".

Nesse espírito épico, fomos todos para as ruas, a avenida Paulista recebeu (segundo o Datafolha) quinhentas mil pessoas, mais que o dobro alcançado em março do ano anterior, e, segundo o jornal *El País,* "colocaram de vez a presidenta nas cordas".

Foi justamente nesse evento que me dispus a tocar o Hino Nacional na guitarra pela segunda vez na minha vida. Sendo que a primeira foi por ocasião da minha saída da prisão, pois foi na prisão que elaborei uma versão para guitarra elétrica, no intuito de pura provocação, pois nos idos de 1987 ainda era crime "desfigurar" o arranjo oficial do Hino Nacional. Principalmente numa guitarra elétrica.

O curioso nisso tudo é que eu ainda sinto essa pulsão em relação a tocar o hino.

Foi um momento de intensa emoção cívica (eu nunca me adapto bem a "emoções cívicas").

Dois dias após as manifestações mastodônticas daquele domingo memorável, no dia 17 de março de 2016 a Câmara dos Deputados, em votação aberta, elegeu os 65 integrantes da Comissão Especial do Impeachment (433 votos contra apenas um).

Na manhã de sexta-feira, 15 de abril, exatos trinta dias após as manifestações, iniciou-se a maior sessão da história, uma verdadeira maratona, tipo a noite dos desesperados, na Câmara dos Deputados, aberta para determinar se consumaria a admissão do processo, e que só terminaria na noite de sábado (16 de abril).

No domingo, 17 de abril, ocorreu a sessão definitiva, com previsão de dez segundos para cada voto, em que poderiam dizer "sim" (a favor do impeachment) e "não" (contra).

Para assistir àquela votação, convidei a Rê para comermos uma pizza, meio que prevendo o resultado meia-boca que se vislumbraria em seguida.

O povo brasileiro teve de aturar aquele circo de horrores que foi a performance tétrica dos parlamentares com seus apartes surreais, revelando o baixíssimo nível da classe política brasileira.

Para nossa diversão e gargalhadas, transcrevo aqui alguns dos mais escalafobéticos:

Deputado Hiran Gonçalves (PP-RR): "Pelos maçons do Brasil!"; deputado José Germano (PP-RS): "À minha família, aos meus amigos..."; deputado Ronaldo Nogueira (PTB-RS): "Pelos fundamentos do cristianismo!"; deputado Sérgio Moraes (PTB-RS): "Feliz aniversário, Ana, minha neta!"; deputado Osmar Terra (PMDB-RS): "Pela minha família, minha esposa, meus filhos!"; deputada Geovania de Sá (PSDB-SC): "Pela honra da minha família!"; deputado Delegado Eder Mauro: "Em nome do meu filho, Éder Mauro Filho, de 4 anos, e do Rogério, que juntamente com a minha esposa formamos a família no Brasil que tanto esses 'partido' querem destruir com proposta que criança troque de sexo e aprenda sexo nas escolas com 6 anos de idade..."; deputado Wladimir Costa (SD-PA), um dos mais histriônicos fanfarrões entre fanfarrões, envolto numa bandeira que parecia ser do estado do Pará: "E quem vota sim, coloca a mão pra cima! Coloca a mão pra cima!"; deputado Lucas Vergílio: "Por todos os corretores de seguros do Brasil!"; deputada Jessica Sales (PMDB-AC): "Pelo meu Cruzeiro do Sul, Vale do Juruá!"; deputado Eduardo Bolsonaro, envolto na bandeira do estado de São Paulo, com sua característica mímica histriônica, aos berros: "Pela nossa querida Polícia Militar de São Paulo, pelos militares de 64!"; deputado Jefferson Campos (PSD-SP): "Pela nação quadrangular do Brasil!"; deputado Cabo Daciolo (PTdoB-RJ): "Pelos militares das Forças Armadas!"; deputado Jair Messias Bolsonaro: "Dedico meu voto ao coronel Brilhante Ustra, e pela inocência das crianças em sala de aula!" (o coronel citado pelo deputado é acusado de ter torturado, entre tantos, a presidente Dilma); deputado Roberto Sales (PRB-RJ): "Para que nenhum governo volte a se manifestar contra a nação de Israel!"; deputado Francisco Lima (PP-MG): "Eu quero agradecer à minha tia Eurides, que cuidou de mim quando pequeno!"; deputado Stefano

Aguiar (PSD-MG): "Liliane, meu amor! Pelo Lorenzo, nosso filho, esse voto!"; deputada Luciana Santos (PCdoB): "Nós somos madeira de lei que cupim não rói!"; deputado Givaldo Carimbão (PHS-AL): "Eu não vou lavar as mãos como Pôncio Pilatos!" E, para encerrar com chave de ouro, como se estivesse concluindo aquela lamentável patuscada, o deputado e presidente da Câmara, Eduardo Cunha (PMDB-RJ), rogou: "Que Deus tenha misericórdia desta nação!"

Eu e Rê à mesa, degustando inúmeras variedades de pizza, assistíamos boquiabertos àquele espetáculo dantesco, que saltava da telona da pizzaria e gritava a todos a miséria moral e intelectual daquele Parlamento.

A grande maioria, dedicando seu voto às suas famílias, deixava muito claro que a maior razão para comparecerem com o "sim" naquela votação era, na verdade, uma pressão advinda de seus lares, de seus entes queridos, dando, assim, a todos nós, a real dimensão da indignação e insatisfação de todo o povo brasileiro.

Foram pressionados pelas filhas, pelas esposas, por suas vergonhas particulares.

Na verdade, o lógico a se ouvir daqueles parlamentares seria: "Por todas as provas e evidências de irregularidades que ferem a Constituição, meu voto é pelo impeachment."

Sendo assim, perguntaria eu: por que tanta presepada, tanta gritaria, tanta canastrice, tantas dedicatórias estapafúrdias?

Mas vamos deixar isso pra lá... Afinal de contas, o pedido de impeachment estava em vias de ser promulgado, só restando, então, a votação no Senado.

Saboreamos nossos últimos pedaços de pizza, tomamos nosso chope e fomos felizes para casa.

No dia 31 de agosto, a vitória de Pirro: o Senado determina, por 61 votos a vinte, a perda de mandato de Dilma Rousseff.

Contudo, Ricardo Lewandowski, então presidente do Supremo Tribunal Federal, no comando daquela sessão, tomou uma decisão surreal, inconstitucional, permitindo, assim, que Dilma, apesar de impedida, estivesse liberada para concorrer a qualquer cargo público.

Aquilo era um acinte. Na caradura, como concluir que uma pessoa que cometeu um crime e não podia continuar no mandato poderia disputar um outro?

Aquela decisão anunciava de forma eloquente que o Brasil prosseguiria como Terra do Nunca e que, por nossa desventura, ainda vivenciaríamos, como num *loop* eterno, mais e mais falcatruas, prevaricações, indulgências, tudo isso conduzido pela nossa esquisita mania de trocar seis por meia dúzia.

Assumia assim a Presidência, Michel Temer, e, com isso, o recrudescimento da ira das hostes petistas, para quem ele, de aliado fiel, passou a traidor golpista.

Nascia, então, o mais recente delírio petista: o impeachment de Dilma fora um golpe de Estado.

E doravante conviveríamos com uma miríade de idiotas a bradar "não vai ter golpe!", "fascistas, golpistas, não passarão", até chegar ao cúmulo dos cúmulos de inserir essa narrativa patética como currículo escolar!

Morre nosso Lampião

No dia do primeiro aniversário da morte da Moniquinha, irmã da Regina, recebemos um outro baque terrível: nosso Lampião tão amado morreu.

Lampião sempre foi um gato saudável, grande, bonito, gaiato, vesgo como um bom felino que era, de olho cor de céu, um siamês genérico nato.

Devo ao Lampião, à sua irmã, Maria Bonita, e, posteriormente, à Dalila, uma mudança radical nos meus hábitos e na minha vida em geral.

Sempre fui um cachorreiro inveterado e nunca havia criado gatos até então.

Descobri com essa experiência o *timing* dos gatos, como manifestam seu afeto, como são amigos e fiéis e como são estilosos e blasês.

Lampião e Maria Bonita chegaram ao nosso lar com menos de três meses de idade, e podíamos acalentá-los na palma da mão.

Eram tão pequeninos que os dois vinham mamar no meu pescoço enquanto lia meus livros antes de dormir e antes de levantar. E eu, todo bobo, exibia com orgulho exultante as marquinhas roxas todas as manhãs.

A primeira modificação drástica em nossa rotina foi um sono profundo que se abateu sobre mim e Rê.

Os gatos pareciam verdadeiras compressas de amor.

Bastava eles se aninharem no peito, nas pernas, debaixo do braço para entrarmos em estado de sono profundo. Dormíamos quase dez horas por dia durante os primeiros meses, e isso foi uma dádiva para nos arrefecer das poderosas tensões do dia a dia.

Mesmo depois de sairmos desse estado morfético de meses, algo de muito profundo se alterou na minha alma.

Me tornei mais calmo, mais terno, mais concentrado, mais rotineiro (gatos são profundamente metódicos), apesar de que, em certos momentos, cheguei a duvidar se voltaria a compor outra vez, tamanho era nosso envolvimento com eles.

Se Lampião aparecesse no meu estúdio e se deitasse no teclado do computador, eu me deliciava com aquilo, parava tudo o que estava fazendo, me achando um privilegiado com aquele gesto dele (faço isso até hoje com as outras duas).

Todavia, mesmo com aquelas intermináveis contemplações felinas, aqueles pequenos rituais de amor me deram muita inspiração e alegria de viver, e, nos catorze anos seguintes, posso afirmar, sem sombra de dúvida, que vivemos o período mais feliz de nossas vidas.

Lampião se foi de repente.

Em menos de uma semana caiu doente, com dificuldade de evacuação, foi descoberto um câncer nos rins.

Os gatos têm disso... São animais muito resilientes, longevos, mas quando aparece um problema é um perigo; se tornam muito vulneráveis. O caso do Lampião foi um desses.

Não deixo de pensar um dia sequer nele, sempre com muito amor, carinho e gratidão.

Nossa vida prossegue permeada de sua presença constante em nosso coração.

Amor eterno, meu Lampi querido.

Capítulo 15

2016 | As cartas abertas

Expira o prazo de produção do filme baseado no *50 anos a mil*

Como havia percebido no transcorrer desses anos, a luta de Rodrigo Teixeira em transformar o *50 anos a mil* em filme se esvaneceu nas brumas misteriosas dos bastidores das negociações.

Enfrentando a realidade de chegar ao prazo limite (2016) e não ter conseguido arregimentar o pessoal para a produção do filme, Rodrigo me devolveu os direitos do livro, e a empreitada de transformar minha autobiografia em um produto para a telona chegou ao fim.

Sinceramente, minha maior preocupação era com o Rodrigo, que mostrou todo seu empenho e entusiasmo durante todos esses anos. Imagino o tamanho de sua frustração em não poder realizar um filme que tinha tudo para se transformar num grande *blockbuster.*

Mas, da minha parte, confesso que fiquei aliviado. Começaram a pipocar notícias como: "O produtor Rodrigo Teixeira nega ter abandonado o projeto do filme baseado na biografia de Lobão, ao contrário do que alegou o músico em uma entrevista", escreveu Mônica Bergamo em sua coluna na *Folha de S.Paulo.* A manchete: "Figura de Lobão torna difícil conseguir apoio, diz produtor de filme biográfico".[1]

O que podemos espremer desse fuzuê todo é que os direitos do filme me foram devolvidos por justamente não haver uma atmosfera de interesse suficiente para conseguir a produção do filme.

Apesar de tudo, apesar de Dilma sair no lucro de um impeachment que lhe concedia carta branca para se eleger a qualquer cargo público, as hostes petistas reagiram com exuberante ressentimento e psicodélica imaginação aos mimos daquela derrota acachapante.

Os fatos jamais foram objeto de relevância para os militantes petistas e, por isso mesmo, iniciaram uma nova campanha, alegando um golpe de Estado, numa narrativa psicótica que insistia em jogar fora todas as robustas evidências que gritavam justamente o contrário do que defendiam.

Os slogans (clichês, cafonérrimos) ribombavam ululantes nas redes sociais: "Fascistas. Golpistas. Não passarão!", "Não vai ter golpe!" e o glorioso "Fora, Temer".

Por sinal, Temer – que era o vice-presidente da chapa e, portanto, o nome indicado pela Constituição para substituir o presidente em caso de morte ou impeachment – começou a ser demonizado pelas hostes esquerdistas, e a imprensa, inconsolável, fez seu papel, jogando o Brasil numa crise violenta no episódio bastante suspeito da JBS-Friboi.

Tudo bem, Temer sempre foi uma raposa política cheia de cacoetes oriundos da função, mas era uma pessoa infinitamente mais capacitada para retirar o país daquela crise econômica sem precedente. E, se não fosse por tanta fofoca e entraves bem pouco elogiáveis, teria feito um governo mais tranquilo e proficiente.

É claro que a direita de coturno e brasão terraplanista também ajudava no linchamento, lançando aquelas campanhas igualmente cafonérrimas como "não tenho bandido de estimação", atrapalhando muito as medidas do novo governo.

Aliás, essa mesma direita pedestre e rastejante iria pleitear intervenção militar para qualquer espasmo administrativo ou fofoca lançada no ar.

Se na esquerda, por todo o vitimismo azedo, pelas narrativas "problematizadas", pelas medidas estéreis e ressentidas de ressarcimentos históricos, tínhamos os campeões mundiais de punheta de pau mole, a direita, autocentrada, preconceituosa, histérica, conspiracionista, anti-intelectualista, militarista, era movida ao torque natimorto da ejaculação precoce: a histeria e descontrole emocional os levava a um priapismo seguido de imediata e incontinente ejaculação. Um exemplo? Gritar "Bolsonaro 2022!" antes mesmo de Bolsonaro sequer ter sido eleito em 2018.

Os Priápicos de Largada mostravam sua cara.

Pobre Brasil...

As cartas... As cartas...

Quanto ao meu caso em particular, vislumbrei um lampejo de mudança de rumos (pelo menos na minha área), uma vez que, pela ordem natural das coisas, o poder hegemônico daquela classe artística chapa-branca já não deveria ter tanto espaço na esfera política, pois, enquanto não mudarmos essa mentalidade patrimonialista do brasileiro, a produção cultural, assim como em qualquer outro setor, se perpetuará no coronelato, e tudo, absolutamente tudo, prosseguirá a existir de mentirinha. O meu grande erro de avaliação foi depositar tão somente nesse segmento de esquerda o talento para formação de panelinhas, máfias, conchavos, patrimonialismo etc. Essas características são onipresentes e onipotentes em toda a Terra do Nunca.

Ou seja, o monopólio do Ministério da Cultura, as lambanças da Lei Rouanet e o totalitarismo cultural daquela rapaziada se mostravam bastante ameaçados com a nova situação política (que muito em breve tomaria o poder, nos ameaçando sob outras formas sinistras de abuso, pois o Brasil existe em função dos eternos ricochetes das revanches vindos de todos os lados).

Assim que assumiu, Michel Temer esboçou extinguir o Ministério da Cultura e, num segundo momento, voltou atrás, afetado pela berraria da classe, que, mesmo com a manutenção do MinC, se via momentaneamente órfã dos cofres públicos.

Observando atentamente esse novo quadro, me pus a meditar um fim de semana inteiro para elaborar, vamos dizer assim, uma ritualização de uma nova convivência, baseada na experiência de que o erro deles não justifica o nosso.

Ou seja, naquele exato momento de luminosa revelação, percebi que me preocupava com uma possível perseguição, ou até mesmo linchamento, a esses artistas que participaram por tantas décadas daquele processo hegemônico e parasitário. Há um dispositivo deletério na mentalidade do brasileiro em geral cujo lado vitorioso aciona sempre um mecanismo de retaliação ao lado perdedor, impondo, além da humilhação e dos castigos, uma eterna pulsão de retribuição à altura quando a parte derrotada retomar o poder.

Percebi que deveríamos estabelecer determinados limites de conduta e estimular o respeito por aqueles que, naquele momento, enfrentavam uma dura derrota, uma súbita perda de poder político, mas que, antes de mais nada, deveriam ser respeitados pelo seu trabalho artístico e tratados com toda a elegância possível. Não saber ganhar é uma terrível miséria.

Era uma manobra difícil, suscetível a interpretações errôneas ou desatentas, tendo em vista essa incapacidade endêmica e espessa de enxergar o outro, mas algo dentro de mim gritava para que tomasse alguma atitude de aproximação, acreditando ser uma rica oportunidade para exercitarmos nossa temperança, nossa gentileza e nosso respeito pela parte derrotada (não sabendo ganhar, não sabemos perder, e, não sabendo perder, impossível crescer ou aprender qualquer coisa). Se é verdade inquestionável que devemos aprender a perder, da mesma forma nosso compromisso irredutível em saber ganhar, pois, se não há estilo sem fracasso, não há vitória sem uma elegante sacaneada, com margens fortes a um possível aperto de mão, a uma possível e bem-vinda admiração e ao respeito pelos nossos adversários.

Assim, decidi escrever uma carta aberta direcionada a três nomes (Chico Buarque, Caetano Veloso e Gilberto Gil), os três nomes da MPB.

Era um jogo de xadrez... Quantas intenções poderiam existir por trás daquele meu gesto? Gentileza? Bondade? Canalhice? Cinismo? Escárnio?

Talvez tudo isso junto, e, por isso mesmo, um fascínio incrível por cometer aquela empreitada me invadia a alma.

Pensava com meus botões: há três possibilidades numa suposta reação dos meus colegas à minha carta.

A primeira seria de concordarem com meu convite (o que seria a pior opção para qualquer um deles). A segunda, reagir com algum tipo de agressividade (a segunda pior opção). E a terceira, ignorar de forma búdica meu convite (de longe, a opção menos pior).

Aqui está a primeira carta aberta:

Carta aberta para Caetano, Gil e Chico

Caros amigos,

Decidi escrever uma carta aberta a vocês por inúmeros motivos, mas confesso que dentre todos esses tais motivos que me moveram, estava lá, para minha surpresa, no fundo do meu peito a me gritar, o maior e mais importante deles todos: o meu amor por vocês.

Não poderia haver momento mais emblemático, um domingo de Páscoa, me permitir (não sem alguma resistência) ser flagrado em minhas próprias contradições. Pois bem: na madrugada de hoje, tomei fôlego e sintonizei o programa do Serginho Groisman no intuito (um tanto beligerante) de verificar as declarações do Caetano que vazaram na imprensa sobre as passeatas, a situação política etc. e tal, imaginando colher não somente o que foi dito, mas como foi dito, gesticulado e contextualizado.

Até então, o clima era de afiar unhas e dentes. Contudo, algo muito possante tomou conta de mim, uma força estranha foi me conduzindo para áreas da minha memória afetiva, e quando dei por mim estava lá eu olhando para a TV inundado de carinho e amor, com um enorme sentimento de parentesco por aquelas duas figuras (Caetano e Gil) com que há tantos anos venho me digladiando e divergindo. Essa tal força estranha também dragou uma outra figura, na tela ausente, para a ribalta do meu coração, o Chico.

E a partir daquele instante me vi numa tremenda sinuca de bico: se estou eu lutando pela verdade dos fatos, por alguma razoabilidade nos gestos, por justiça, honestidade intelectual, tolerância e entendimento, cabe a mim adotar esse rigor, antes de mais nada, a mim mesmo e por isso mesmo venho a público pedir minhas desculpas por ter sido, durante todos esses anos, desonesto a diminuir o talento de vocês três por pura birra, competição, autoafirmação ou até, vá lá, uma discordância genuína quanto a princípios ideológicos, políticos e metodológicos.

Vocês três fazem parte, queira eu ou não, do meu DNA artístico e afetivo, do meu imaginário poético, e são, sim, artistas muito fora da curva, tanto na excelência das canções como na criatividade, na beleza e na inspiração de seus versos. Portanto, peço humildemente o perdão de vocês, Caetano, Gil e Chico.

Sendo assim, desde então, livre para vos amar, admirar e respeitar, voltemos à vaca fria, a esse momento grave de colapso de governo, de ódio generalizado entre os brasileiros. Caetano, me corrija se eu estiver errado, mas ao observar seu posicionamento sobre as passeatas e os movimentos sociais notei na sua mímica (mais até no que você dizia) uma angústia cravada de dúvidas em relação a essa torrente de acontecimentos insólitos, surpreendentes, a nos deixar atônitos e desnorteados. E havemos de acrescer de mais angústia ainda ao contabilizá-la, uma vez que o programa já havia sido gravado duas semanas antes! Ou seja, há priscas eras, quando nossas preocupações ainda eram criancinhas de pré-primário diante das atuais!

E a grande preocupação atual é o fato de todos nós sermos forçados a concordar sem a menor sombra de dúvida que esse governo já não vigora mais como tal, que ele mesmo se deliquesceu no esplendor duvidoso de sua ruína moral, arrastado para a seara da pura e simples criminalidade e que será necessário de agora em diante muita serenidade, sabedoria e união de todos nós para recomeçar tudo de novo.

A minha proposta é simples e singela: nos concedermos a oportunidade de revermos nossos pontos de vista, nossas metas, de conversarmos como pessoas crescidas que estão nessa luta por um Brasil mais justo, cada um à sua maneira, com toda a disposição de melhorar as condições do país em todos os sentidos. Começaríamos, como não poderia deixar de ser, pela nossa classe que tanto precisa ser reavaliada, repensada e reorganizada não somente entre as nossas relações pessoais enquanto colegas, mas como também nas políticas culturais (ou não).

Quem sabe, nesse momento sombrio, esteja justamente a nossa brecha cósmica de mudanças de paradigmas nefastos tão profundamente enraizados em nossas almas, em nosso imaginário e, principalmente, em nossa forma de agir.

E que ironia do destino, numa data tão emblemática como esses idos de março, num fechamento de ciclo iniciado em 1964 que se prenuncia ameaçador latejando em nossos corações como uma tempestade a nos colher de hora marcada, seja agora o instante de rechaçarmos de vez essa tenebrosa repetição de padrão que nos condenaria para todo o sempre a criaturas imunes aos efeitos da tentativa e erro.

Está em nossas mãos, enquanto artistas sempre com forte penetração no coração da alma brasileira, não permitir que sejamos reféns de nossa inépcia, de nossas paixões, dos nossos cacoetes e de nossa vaidade. Quem sabe, nessa hora das mais escuras, seja esse o momento de erradicarmos para sempre aquelas vicissitudes mesquinhas do que (não) entendemos por esquerda e direita, sobre o que é desigualdade e quais suas causas em suas mazelas reais? Quem sabe tenha chegado o esperado momento em que finalmente deixemos de ser essa província de terrores brandos e esmaecidos por nossa fantasia delirante de teimar ser um povo macunaimicamente escolhido nos condenando ao parasitismo, ao clientelismo, ao coronelato e a ideólogos cretinos a nos conduzir por toda a eternidade?

Quem sabe seja nessa hora amarga de desmoronamentos de sonhos e anseios, o terreno mais fértil para nos ouvirmos e nos desfrutarmos com mais proveito, com mais sabor e daí surgir um oceano de novas revelações? Portanto, meus caros amigos, clamo a vocês, de todo o coração, para que conversemos, discutamos, discordemos que seja, mas encaremos essa crise com determinação e confiança em cada um de nós, para que possamos descortinar novos horizontes com a real possibilidade da elaboração de novas formas de pensar e agir para fazer valer a pena tantas décadas de erros infantis, sempre com a certeza de sermos homens de boa vontade, que sob os mais variados vieses de pensamento, queremos mais justiça, mais fartura, mais amor, progresso e paz nessa terra tão devastada por paixões e cacoetes infrutíferos.

A hora é essa, meus caros amigos, recebam pois o meu amor, meu carinho e respeito convictos de que haverá em mim uma criatura plena de vontade de cooperar com humildade e dedicação por um Brasil melhor e que não há razão nem espaço para conflitos, convulsões sociais nem revoluções. Nossa transformação será através do crédito moral, do afeto e dessa nova aliança que, tenho fé, permeará esse novo e maravilhoso Brasil que se vislumbra. Topam?

Um beijo pra vocês três. Love, love, love!

Lobão

São Paulo, 27 de março de 2016

Relendo a carta agora, posso perceber todos os esforços em amenizar as discordâncias estético-artísticas que sempre tive, no intuito de dar o primeiro passo em direção a atitudes mais humildes e abnegadas, pois, se agisse de forma diversa, não teria sequer respaldo moral para reivindicar um encontro civilizado.

Portanto, um dos momentos do texto da carta que exige uma leitura mais atenta e acurada é justamente aquele em que peço meu perdão pelos meus "desonestos" rompantes em relação à qualidade artística deles.

O que me deixou surpreso foi perceber que eu realmente tinha uma robusta reserva afetiva em relação aos três e que todos aqueles anos de querelas me endureceram bastante, e, já que o foco era discutir os desígnios culturais do país, não vi o menor problema em exercitar minha humildade, dar o primeiro passo e me expor no esplendor de meus erros.

Impor uma desconfortável, humílima e desconcertante confessionalidade naquela situação de barganha era uma ação psicológica sofisticada, quase maquiavélica, principalmente se levarmos em consideração o fato inevitável de que, naquele momento do jogo, eu estava na sobra, no vácuo da simpatia, eu "estava podendo".

O intento sutil daquela retórica seria colocá-los numa doce sinuca de bico. Sabia que aplicava um estratagema que envolveria abnegação, amor verdadeiro e visão histórica. Esse ato teria um vislumbre, uma revelação luminescente endereçada à posteridade, como uma bomba-relógio fadada a explodir buquês de margaridas a miosótis.

Portanto, era uma aventura da qual não poderia me furtar em empreender com paciência e desapego.

Lancei a carta aberta nas redes no domingo de Páscoa e fiquei aguardando a reação (embora já pudesse adivinhar) dos três colegas por toda a semana.

A reação geral foi de perplexidade e revolta obtusa, tanto do lado pró como do lado contra os três veneráveis colegas.

Sabia que a precariedade de interpretação de texto produziria uma infinidade de comentários precipitados e desatentos.

Foi uma festa.

O que teve de gente declarando coisas como "Lobão amarelou", "qualé, Lobão... entregando o ouro pra esses canalhas? Que papelão!", entre outros tantos comentários da mesma natureza.

E a respostas dos três endereçados veio paulatinamente. O primeiro a se manifestar foi Gil, sempre com sua postura melíflua e curvilínea, segundo reportagem do *Estadão:*

"'Ainda não li a carta do Lobão. Li sobre a mesma numa matéria de um jornal. Recebi suas declarações com leveza: leve alegria no coração, leve sorriso nos lábios, leves lágrimas nos olhos. Elas correspondem ao padrão mental dos inteligentes, ao padrão sentimental dos de bom coração em que, quase sempre, prevalece o bom senso. Da próxima vez que cruzar com ele, já posso lhe dar um beijo sem constrangimentos.' Foi assim que Gilberto Gil respondeu, por meio de sua assessoria de imprensa, ao pedido de desculpas que o músico Lobão postou no Facebook no domingo, 27."[2]

Notem bem o desvio de foco da abordagem: "pedido de desculpas". A carta é, antes de qualquer coisa, um convite para nos encontrarmos frente a frente, para discutirmos os desígnios culturais do Brasil, para perguntar a esses caras, que por décadas se mantiveram no controle quase absoluto do cenário musical brasileiro, como lidariam com uma mudança radical de paradigma, tendo em vista a destruição ampla da credibilidade de um governo que apoiavam, e uma tendência já esperada de transformar esse convite num pedido de desculpa.

Caetano, por seu turno, optou por evitar qualquer tipo de comentário, enquanto Chico foi o mais infeliz dos três ao declarar: "Não li e não tenho a intenção de ler."

Animado com as reações dos três colegas, corri ao teclado para formular uma outra carta, podendo, desta feita, me valer de uma verve um pouco mais incisiva.

E na semana seguinte lancei a segunda missiva:

Caros amigos,

Há uma semana escrevi uma carta aberta a vocês e, como já poderia prever, não houve nenhum sinal significativo de resposta.

Saliento comovido e contente o meigo e solitário depoimento de Gil ao aceitar as minhas desculpas. Contudo, se Gil se dispusesse a ler o texto com atenção constataria que o cerne da questão gira em torno de um outro intento: uma convocação.

Chico deixou bem claro que nem sequer se interessara em ler a mensagem, quanto mais respondê-la, e Caetano adotou uma atitude evasiva eximindo-se de qualquer manifestação a respeito.

Pois bem, apesar desse comportamento um tanto lacônico por parte de vocês três, sou forçado a constatar que a carta causou um forte impacto entre oposicionistas, governistas, populares, isentões e intelectuais dos mais variados sexos, feitios e tamanhos. Reações que variaram entre o rejúbilo, o amor, a compreensão do meu gesto (era essa a minha meta), e o repúdio, a indignação e o desprezo (para o meu espanto!), sendo que nessa segunda categoria de reações descontroladamente apaixonadas expressaram seu veemente protesto, tanto alguns muitos oposicionistas me criticando por ter "amarelado" diante de "artistas vendidos", como governistas explodindo de indignação por acharem o cúmulo dos cúmulos um nada como eu pleitear uma conversa com o Olimpo "da nossa MPB".

A que ponto chegamos, não é verdade? Entretanto, nutrido pelos sinceros sentimentos que me guiam somados a uma necessidade premente de esclarecimentos e mudanças, não somente na mentalidade como também nos desígnios políticos em que se enredou a nossa classe, retorno ao teclado do computador para redigir-vos mais um insistente apelo.

Optarei, como recurso didático e adequado para essa ocasião, adotar a abstrata condição de nada. Portanto, a partir de agora, me apresentarei assim: Muito prazer, meu nome é Nada.

Ser Nada muito me convém para que meus motivos se ergam das névoas da dúvida. Ser o Sub do Mundo é uma condição que muito me convém para ser mais bem-sucedido em mostrar a vocês três os absurdos, discrepâncias e cacoetes comportamentais que doravante exporei.

Vou dividir meu carinhoso pito em duas partes: a primeira caberá a Caetano e Gil, a segunda a Chico. Prossigamos.

Querido Gil, você ocupou o cargo de ministro da Cultura durante os oito anos da administração Lula e prossegue, na administração Dilma com forte penetração no ministério, pois o atual ministro, Juca Ferreira, é homem de sua inteira confiança, tendo atuado como seu subordinado no tempo em que você foi o titular da pasta. Não sei se é apenas uma estranha coincidência, mas foi exatamente durante todo esse período que as perversidades e aberrações da Lei Rouanet começaram a pulular em total descontrole. Foi aí inaugurada a era em que artistas consagrados, com grande nicho de público e mercado, começaram a pautar seus eventos, shows, projetos, discos e DVDs por intermédio de subvenção de incentivos hospedados no bojo dessa lei, transformando o mainstream cultural num antro de parasitas, chapas-brancas e castrados de opiniões confiáveis.

Essa lei proporcionou que a criação artística decrescesse a níveis alarmantes, pois os tais editais dos quais se extrai a grana dos medalhões privilegiam as enfadonhas comemorações de aniversários de carreira, reuniões insólitas entre artistas improváveis, homenagens pouco sinceras a astros falecidos, festas sem algum sentido real de se comemorar e outras chicanas lamentáveis para justificar o uso do dinheiro público.

Para piorar a situação, como se isso só não bastasse, esse grupo de parasitas passa a atuar como um grupo de ardentes defensores do governo. É a Era do Artista Chapa-Branca. Uma era a ser esquecida.

Imagine você, Gil, faça um exercício de alteridade e experimente o meu espanto ao saber que um ministro da Cultura tem um camarote no carnaval da Bahia subvencionado com uma grana possante da Lei Rouanet! Isso, definitivamente, não é bonito. E para agravar a situação, é de se prever que artistas periféricos sem a metade de seu talento se estimulem e muito em se lambuzar nesse mesmo estilo sem o menor prurido de consciência, não é mesmo?

Quanto a você, Caetano, pilotando uma outra desastrosa escaramuça, temos o Procure Saber, capitaneado por sua esposa, arregimentando algumas dezenas de artistas a impor goela abaixo, a toque de caixa, uma lei absurda que estatiza os direitos autorais aprovada com uma celeridade inexplicável extraída dos parlamentares diante daquele decadente espetáculo no Congresso Nacional protagonizado por nada mais, nada menos que Roberto Carlos cercado de uma plêiade de artistas circunstantes. Roberto que aceitou ser anexado ao grupo em troca de vossas presenças, Caetano, Gil e Chico na defesa a censura das biografias não autorizadas.

Isso também não é bonito.

E o resultado disso? Se vocês ainda não sabem, procurem saber! A lei que estatiza os direitos autorais, designando ao Ministério da Cultura o controle das entidades de arrecadação, provocou um decréscimo dramático na arrecadação de mais de 350 mil autores, compositores e músicos em todo o Brasil. Sem falar das demissões em massa de funcionários no Ecad e nas associações de músicos e compositores.

Eu tenho aqui comigo os dados e, se vocês tiverem maior interesse, posso mostrá-los com mais detalhes assim que o desejarem.

E é como Nada que me dirijo a vocês, como um anônimo entre esses autores e músicos que tocam nos bares, botequins, churrascarias, quermesses, puteiros e coretos, como par desses artistas que estão apartados de grandes eventos, que não têm acesso a leis de incentivos, que não são residentes de trilhas de novelas de grandes emissoras, que não contam com o beneplácito das editorias de cultura dos jornais... É como um Nada amalgamado àqueles que não fazem parte de cortes de subservientes a posar como um entorno cenográfico de coronéis da canção que profiro um apelo angustiado: seria plausível vocês reverem suas posições quanto a essa lei de direitos autorais e nos ajudar a revogá-la? Ainda é tempo. O STF está analisando nosso pedido de revisão e o relator é o ministro Fux. Seria lindo nos aliarmos nesse momento de tamanha gravidade. Seria mais lindo ainda derrubar a Lei Rouanet como vigora e tentarmos direcionar seus benefícios àqueles que realmente dela precisam (sou o Nada, mas, mesmo nessa hipótese, continuaria a não me incluir como beneficiário).

Seria muito triste se vocês, que tanto fizeram pela música e a cultura brasileiras, se resumissem, se reduzissem já entrados nos seus setenta anos, como ícones de uma era vergonhosa, como defensores de um governo execrável, incompetente, corrupto, criminoso. É disso que estou falando. Ainda há tempo! Só o perdão liberta! Posso dizer de coração, uma vez que vim a público vos pedir o meu. O arrependimento lhes concederá uma verdadeira bênção, podem crer.

Chico, te deixei por último, longe de ser o menos, pois hei de fazer aqui uma ressalva em sua defesa por ter sabido através de uma amiga em comum ser você contrário a utilizar pessoalmente a Lei Rouanet e perceber, até onde posso conceber o que é justiça, não ser você responsável por aparentados seus nem mesmo o diretor que fez um filme sobre sua obra, todos estes, maiores de idade, serem beneficiários dos incentivos da dita-cuja. Se isso realmente procede, preciso dar-lhe meus parabéns "localizados".

Localizados, sim, pois gostaria muito de ampliá-los ao resto de sua conduta, no entanto, é na clave da tristeza e da angústia o diapasão que domina todo o restante da minha mensagem.

Caro Chico, você já tem cinquenta anos de vida pública, pelo menos. Com a sua inteligência e talento é de assustar sua impermeabilidade diante da falência absoluta de suas crenças ideológicas. E por isso mesmo um exemplo vivo do modelo do intelectual brasileiro a viver na infâmia da delinquência intelectual.

Se todos nós concordamos que toda ditadura é algo injustificável, mais injustificável ainda atacar uma ditadura defendendo outra e é exatamente assim que você agiu no período da ditadura militar e vem assim se jactando imune a dúvidas no transcorrer de todas essas décadas.

Para deixar escancarada a minha angústia, gostaria de invocar um Nelson Rodrigues descendo do céu em que atualmente habita, com seu olhar sampaco, suas bochechas ondulantes, com as mãos apoiadas nos cotovelos a dirigir-lhe entre baforadas de Caporal Amarelinho uma súplica daquelas rodriguianas... algo como: Chico Buarque, só o perdão liberta! Encha de ar vossos pulmões e brade forte e alto como jamais outrora ousara bradar dirigindo-se contrito ao povo brasileiro: Povo brasileiro, me perdoe. Me perdoe por ignorar seu descontentamento, suas desgraças e sua legitimidade em protestar contra esse governo criminoso. Me perdoe por aviltá-lo chamando de golpista toda uma nação genuinamente enfurecida.

Me perdoe, povo brasileiro, por ser um charlatão em posar contra uma ditadura militar e ser amigo durante todos esses anos de um dos maiores ditadores genocidas da história, Fidel Castro.

Me perdoe, povo brasileiro, por defender o indefensável, por interferir com o meu prestígio logrando a confiança que milhões de brasileiros depositaram em meu chamado, por defender uma presidente que beira a demência, por defender um psicopata que anseia se perpetuar no poder através do crime, do suborno e da falcatrua. Me perdoe, povo brasileiro, por defender uma organização criminosa como nunca dantes na história da humanidade ocorreu aqui em terras brasileiras e que é dirigida pelo Foro de SP tendo como os irmãos Castro centro de todas as ações criminosas perpetradas em toda a América Latina. Me perdoe por ser leniente com narcoditaduras como a Venezuela e a Bolívia, com seus milhares de assassinatos e presos políticos, por esse regime brega, retrógrado, autoritário e cafona que é o bolivarianismo.

Me perdoe, povo brasileiro, por ser cúmplice de toda essa ignomínia, e por isso mesmo carregar minhas mãos respingadas com o sangue desses incontáveis que tombaram sob o jugo de assassinos. Me perdoe, povo brasileiro, por ser eu, um mimado por uma corte de intelectuais flácidos ao meu redor me tornando imune a qualquer drama de consciência e insistir em subscrever um ideário comunista que tem sob seu manto a opacidade dos medíocres, cujo único brilho que emana de seus anseios é o da inveja, da revanche e do ódio. Enfim, povo brasileiro, como diria Nelson Rodrigues, me perdoe por te trair.

Desincorporando Nelson e retornando a minha condição de Nada, de Sub do Mundo, quero terminar esta carta ressaltando mais uma vez esse momento terrível que o Brasil está passando, as nossas responsabilidades diante desse momento e de nossa boa vontade independente de quais lados nos posicionemos, esperando que as linhas desse Nada que vos escreve possam fazer alguma diferença (para melhor) nesse impasse a nos envolver. E que elas tenham alguma chance real com a vossa determinante ajuda, em contribuir para um Brasil mais adulto, mais justo e mais unido.

Um forte abraço. LOVE, LOVE, LOVE

Lobão

São Paulo, 3 de abril de 2016

Como eu previa, as cartas abertas foram uma espécie de psicodrama coletivo, funcionando como uma radiografia de contraste, onde todos os sentimentos, as reações e os comentários sobre elas são, na verdade, confissões, projeções das mais pessoais, fruto de crenças, mitos, anseios, preconceitos, manias, recalques, folclores, todos a formar com nitidez psicológica os traços de caráter e a mentalidade da sociedade brasileira.

Quanto a esse aspecto, atingi em cheio meu objetivo: lancei essa radiografia de contraste no espaço, e o que surgiu, para minha surpresa, foi uma população farta daqueles privilégios e abusos de poder, contudo, inteiramente incapacitada de perdão ou, vamos lá... um certo senso de humor negro esportivo.

Mas não adiantava espernear. A bomba já havia sido detonada e seus efeitos já eram bastante sensíveis, mesmo sendo a bomba de efeito retardado, ou seja, aquilo era apenas o começo.

E para não ter *perhaps*, fiz questão de escrever a segunda carta, esquecendo, por um instante, que sou um mero companheiro de ofício dos rapazes, sendo, portanto, nada mais natural um convite para uma conversa pública, para um debate franco com (teoricamente) colegas, que optaram, assim, por ignorar o convite, cada qual à sua maneira.

E, para evidenciar o paroxismo da situação, digamos assim, desse comportamento aristocrático, nas suas reações à primeira missiva, resolvi adotar o "Nada" na segunda carta, um cidadão comum, que simplesmente gostaria de saber desses artistas (Gil, Chico e Caetano) a razão de inúmeras condutas até então prenhes de mistério.

No final das contas, a narrativa cenográfica de que estava vindo a público pedir perdão se desmantelou por completo, e, com toda a certeza, os anos que virão concederão à verdade o milagroso efeito do distanciamento temporal.

O total fracasso da turnê de lançamento de *O rigor e a misericórdia* e... uma turnê com o Sepultura!

E por falar em fracasso...

De certa forma, apesar de estar bastante duro, necessitado de uma graninha, e triste por perceber dois dos meus mais dedicados trabalhos (o livro e o disco) caminharem céleres para o oblívio (sim, por mais solitário e independente que seja, como qualquer criatura, também sou afeito a um elogio, a um aplauso, a uma mínima aprovação), respirava aliviado por aquela pausa forçada, para vivenciar meu luto pela morte do Lampião, que me afetara de uma maneira muito além do que poderia imaginar, e, sendo assim, passei o mês seguinte lambendo minhas feridas, a produzir novos esboços de canções e escrever novas letras (é curioso notar que não havia nenhum tipo de derrota que me fizesse ficar desmotivado). Assim prossegui minha vidinha até meu querido amigo e agente Marcelo Nahas me vir com uma proposta mirabolante!

Uma turnê com o Sepultura! Uau!

Essa ideia me deixou... animadérrimo!

O Sepultura é uma das maiores bandas de rock do mundo, e poder dividir o palco com eles, tocando suas músicas, assim como eles tocando as minhas, era como um sonho!

Sem contar com o detalhe de que o simples fato de a rapaziada do Sepultura ter acolhido com entusiasmo a proposta já era uma imensa alegria!

O Nahas já havia fechado shows em umas dez cidades pelo Brasil, e nós começamos os ensaios na semana seguinte.

Para minha felicidade, Os Eremitas da Montanha amaram o projeto e as duas bandas se encontraram num estúdio para elaborar o show:

uma parte dos Eremitas, outra do Sepultura e uma terceira com as duas bandas tocando juntas músicas de ambas as bandas.

Ensaiamos "Roots Bloody Roots", "Dead Embryonic Cells" e mais algumas outras, comigo na bateria.

Eram três bateristas tocando ao mesmo tempo (eu, o Eloy Casagrande e o Armando Cardoso), dois baixistas (Paulão e Guto Passos) e dois guitarristas (Andreas Kisser e Christian Dias), e o Derek (Green) já estava trabalhando numa versão em inglês para "El Desdichado", que tocaríamos juntos, além de "Vida louca vida", "Vida bandida" e outras (comigo na guitarra).

Fiquei impressionado com a liga que deu essa salada de gente.

Ficamos tão empolgados com o resultado que já imaginávamos um DVD dessa turnê.

A turnê com o Sepultura é cancelada. De dez datas, nove foram desmarcadas

Na semana de estreia, vim a saber que, das dez cidades agendadas para os shows, só havia sobrado Belém do Pará, mas, como estávamos muito empolgados com os resultados, decidimos cumprir a data com toda a alegria do mundo.

O show foi monumental em termos musicais, mas com um público desconfiadíssimo daquela associação, para eles, insólita e, até mesmo, por que não dizer, ofensiva! Comemoramos com garra, volúpia e deleite nossa única apresentação.

Já estávamos no final do ano e percebia que nenhuma das minhas tentativas de empreender algo que me desse algum retorno de grana emplacaria.

Pela primeira vez eu vivia um fracasso de vendas em meus livros, além das já frequentes rejeições de shows e discos... Já conseguia antever nossa família de trouxinha, sacos plásticos, panelas, as gatas na gaiola, todos a habitar a ponte mais próxima.

Mas, por incrível que pareça, prosseguia muito animado em voltar a compor, e isso me dava um certo conforto, perceber que meu tônus vital estava intacto, imune a todo aquele caos orçamentário na minha vida.

E, no meio daquela aridez de três desertos, eis que me aparece um providencial convite!

Um convite: um novo livro!

No apagar das luzes de 2016, recebo um telefonema da minha querida amiga e editora dos tempos da Nova Fronteira, Leila Name, a me convidar para um almoço e, assim, me fazer um convite.

Aquilo soou como música para meus ouvidos.

No dia seguinte, lá estávamos no Spot para nosso almoço e para ouvir o que a Leilinha tinha a me oferecer.

Leila estava à frente da editora LeYa, que detinha os direitos da célebre série "Guia politicamente incorreto", iniciada e criada pelo Leandro Narloch.

Percebi minha amiga um tanto inquieta com a proposta, mas, depois de alguns minutos de hesitação, ela me perguntou se eu não estaria disposto a escrever um "Guia politicamente incorreto" sobre o rock nos anos 1980!

Entendi seu receio.

Ela sabia que sempre fui um severo crítico em relação àquele período, e poderia facilmente rejeitar a proposta, mas minha reação, como não poderia deixar de ser, foi de pura alegria!

"É claro que aceito, Leilinha!"

Como poderia ficar mais animado? Uma proposta de escrever um livro sobre um assunto do qual eu tinha amplo domínio e conhecimento, podendo trazer à tona uma série de questões e episódios jamais percebidos ou contados, além de poder retornar ao jogo dentro do mercado editorial.

"Maravilha! Fechadérrimo (estou em pleno momento monomaníaco de fascinação pelo sufixo superlativo "érrimo") nosso projeto!", exclamei, triunfal.

E foi naquele almoço que conheci uma pessoa que viria a ser meu editor, conselheiro e amigo, o Rodrigo de Almeida. Mas isso é conversa para um próximo capítulo.

O ano de 2016 nos pareceu uma eternidade, repleto de fatos, alternativas, vitórias de Pirro, a perda do meu amado Lampião; no entanto, foi um ano decisivo para nossa história.

Mas nada pode deter uma pessoa feliz...

Que venha 2017!

Capítulo 16
Um interlúdio

Há ocasiões em que é necessário dar uma volta aos primórdios da minha vida e repassar certos episódios para que possa entender melhor os acontecimentos mais recentes.

Sendo assim, vamos a eles.

Desde a mais tenra idade eu mostrava traços indeléveis da minha esquisitice.

Minha mãe achava que a causa dessa esquisitice muito se devia à minha preguiça mental, à minha indolência ou talvez ao excesso de cortisona, muito embora mostrasse sinais inequívocos de hiperatividade: tocava bateria o dia inteiro nas almofadas e nos travesseiros, quando não estava no meu turno de motorista de bonde que havia inventado dentro da minha caminha de grades.

Também me acostumara a passar horas a fio devorando enciclopédias como a da infância da minha avó (*Thesouros da juventude*), fascinado com a ortografia arcaica, o cheiro de bolor e a presença do pretérito a revoar por suas páginas amareladas... Adorava também a *Delta Larousse*, a *Barsa*, ler sobre dinossauros, múmias, o sistema solar, o universo e autores como Mark Twain, Júlio Verne, Monteiro Lobato e Eça de Queiroz.

Ah! Amava o almanaque Tio Patinhas! Amava Walt Disney (contudo, abominava assistir as versões do Pato Donald em tamanho real transitando e posando para fotos na Disneylândia).

Mas, se minha mãe me tinha como indolente, como eu poderia duvidar?

Eu tinha uma mistura de admiração e pavor pelas habilidades inquestionáveis dos meus pais. Aquelas habilidades fantásticas me intimidavam, e essas incríveis habilidades diante de uma mente hiperbólica e ritualística como a minha causariam um impacto formidável na minha infância.

E, por conseguinte, lamentava muito não poder corresponder tanto às suas expectativas quanto às minhas, que naquele período me punha a me enxergar como um inábil desastrado.

Isso sem falar do meu já tão decantado sonambulismo (saía andando pela casa a cantar melodias com letras trocadas de outras canções, atirando beijinhos para uma plateia imaginária). Dando seguimento (desconfio eu) aos meus ataques de terrores noturnos num período mais tenro da infância, quando, no meio da noite, deitado na cama, acordava aterrorizado apontando para a porta do armário do quarto, denunciando, aos berros, enxames de fantasmas, monstros marinhos e professores malvados a sair voando lá de dentro, além de um pendor irresistível para divagações exóticas que me presenteavam com momentos epifânicos.

Não seria de espantar alguém com meu histórico peculiar procurar encontrar alguma diversão e alguma tentativa esfumaçada de se autoexplicar, ou tentar entender o mundo através de uma visão muito particular, ou explicar o mundo ao meu redor através de alguns daqueles "momentos solitários, epifânicos".

O que acredito ser revelador nesses eventos é a forma de a minha percepção... transversal atuar sobre situações corriqueiras e transformá-las em complicadas e delirantes urdiduras mentais.

Aqui vão alguns desses momentos:

Quando assistia na TV a um pianista executando um concerto, com o enquadramento da câmera por trás de seu banco, podia ver suas mãos atacando as teclas do instrumento, ao mesmo tempo que percebia o reflexo delas na madeira escura, brilhante e espelhada do imponente piano de cauda.

Qual era minha dedução? Ah! Todo piano vinha com um concertista embutido, que tinha a função de replicar todos os movimentos do instrumentista, assim como dobrar com perfeição o som que ele tirava do piano real.

Em seguida, cheguei à conclusão de que somente os pianos de cauda eram fabricados dessa forma, pois tínhamos um piano de apartamento em casa e eu já havia averiguado por muitos dias seguidos, abrindo sua tampa, tentando assustar o concertista embutido com gritinhos e cutucadas súbitas na madeira, colocando lanternas atrás do instrumento, medindo a capacidade cúbica de seu interior para saber se era possível caber um androide humanoide concertista em escala natural inserido nele, e, finalmente, verificando decepcionado a inexistência daquele dispositivo em pianos mais comuns.

Acreditava que se tratava de um moderníssimo efeito sonoro para magnificar a execução do instrumentista, como um *chorus*, um *delay*. Ou uma entidade celestial, vai saber... Como saíam aos borbotões professores, fantasmas e monstros do meu armário, por que cargas--d'água não haveria de existir uma entidade habitando um piano?

Assistia maravilhado ao trabalho daquele pianista dentro do piano, que copiava diligentemente as investiduras nas teclas do concertista exterior, magnificando, dessa forma, sua performance!

Passei meses caçando em vão um piano de cauda.

Estávamos em 1965, o iê-iê-iê explodia no mundo com os Beatles. Como meus pais tinham verdadeiro horror ao tal do iê-iê-iê e, portanto, aos Beatles, me via compelido a adorá-los no mais profundo segredo e, para soar mais crível meu desprezo pelo conjunto musical, sempre de forma muito pouco louvável, tecia covardes e falsos comentários depreciativos em torno do movimento iê-iê-iê, tendo como alvo principal seus maiores representantes: "Devem estar todos 'emaconhados', mamãe!", "Olha que cabelo de menininha, papai!"

Sob a tensão daquela recôndita e perigosa admiração que poderia me custar meses de castigo sem poder brincar de Forte Apache nem de legionário romano, nascia um turbilhão de fantasias feéricas: eu raptava uma vassoura, sem que ninguém me visse, ia pro banheiro "tocar guitarra" e, simultaneamente, emitia elaborados sons guturais, no intuito de parecer um trompete, como "camuflagem sonora", para que não fosse desmascarada a mímica (barulhenta) da minha admiração. (Imaginava que a vassoura emitia um som ensurdecedor.)

Juro a vocês que eu mesmo ficava maravilhado com minhas habilidades emulatórias, com a fidedignidade da imitação e, portanto, envaidecido e convencidíssimo de que havia realmente um trompete a emitir suave melodia comigo no banheiro, a disfarçar o barulho emitido pela vassoura/guitarra enquanto me equilibrava na tampa da privada (meu palco).

Essa farsa exigia de mim um esforço mental, uma concentração e uma coordenação incríveis, pois, enquanto me sacudia todo com a vassoura a encarnar uma performance ultrarroquenrou num palco de tampa de privada, dedilhando uma guitarra elétrica imaginária, produzia em uma sincronia esquizofrênica, através de sofisticadas contrações musculares das bochechas e dos lábios, um inequívoco e relaxante som de trompete (com surdina).

Eu mesmo me perguntava: como concatenar os movimentos corporais de alguém que imagina estar tocando guitarra e cantando internamente "Gata", dos Brazilian Bitles (versão de "Wild Thing"), e, ao mesmo tempo, emitir exteriormente a melodia maviosa de "Moonlight Serenade"?

Essa fixação reprimida pelo iê-iê-iê e pelos Beatles pode facilmente ter desencadeado a crença imbecil de que havia um conjunto The Beatles em cada país.

Assistia escondido e sobressaltado a todas as notícias dos Beatles pela TV, como se recebesse mensagens em código Morse em um campo de batalhas.

As informações chegavam ao meu cérebro um tanto truncadas, num misto de pasmaceira cognitiva e pânico pela culpa mortal em adorar um quarteto que meus pais tanto me alertavam dos seus traiçoeiros perigos, por se tratar de um bando de maconheiros, que não tomavam banho, que usavam perfume de essência de gambá, que tinham cabelo grande e costeletas "pega-rapaz", como maricas.

Portanto, em estado limítrofe, numa daquelas noites de vigília secreta, me veio aos ouvidos a notícia no *Repórter Esso*, com o lendário Gontijo Theodoro a proferir retumbante: "Beatles na América!"

Ah! The Beatles também na América! Eu já desconfiava!... Ah! Então tem The Beatles em tudo que é lugar desse mundão!

Que troço bem bolado, sô!

Não tive mais dúvidas que "The Beatles" era uma espécie de *franchising* universal, com subsidiárias locais em todo o mundo: tinha os Beatles ingleses, os Beatles americanos, os Brazilian Bitles, os Beatles com inúmeras lacunas cognitivas, portanto, os Analfabeatles, os Beatles lusitanos, os Beatles burúndios, os Beatles Mongóis etc. etc...

Talvez por ter essa impressão tão forte de que o iê-iê-iê (o rock) era uma cultura natural e genuína, polvilhada por todo o planeta, como a água potável, o Danoninho, a goiabada com queijo ou a Coca-Cola, tenha posteriormente me tornado tão avesso à doutrina que tanto nos forçavam a admirar; àquilo que costumavam chamar por produção de culturas identitárias, um cacoete que me deixava meio claustrofóbico por haver uma obrigação telúrica e, para mim, torturantemente inexplicável, em ter que "dar valor à cultura da nossa terra". Ficava culpado com aquele troço.

E por falar em cultura identitária, ainda envolto em tenra infância, me via varado de espanto por uma coqueluche que assolava o Brasil: a expressão "ultra".

A pessoa era ultrabacana, ultracafajeste, tinha a Ultralar, a Ultragaz, o Ultraman. Mamãe nos impingia sessões de exposição a lâmpadas de raios ultravioleta para "fortificar os ossos", com o intuito de compensar nossa baixa frequência nas praias, e, nessa atmosfera ultrassaturada de "ultras", me flagro assistindo a uma performance formidável da eterna Elis Regina, na saudosa TV Excelsior, canal 2, cantando seu mais novo sucesso de então: "Ultraneguinho na estrada, ultra pra lá e pra cá,/Vixe que coisa mais linda!/Ultraneguinho começando a andar, começando a andar!"

Pronto! Me rendi fascinado ao poder de criatividade daquele compositor em exibir tamanha engenhosidade!

Como alguém teve uma sacada daquelas?

Chega de Super-Homem, Batman, Flash Gordon, National Kid!

Nós tínhamos agora o nosso... Ultraneguinho!

Mamãe tentou me alertar sobre essa minha recorrente e preocupante "reordenação semântico/cognitiva", e eu, muito refratário, por considerar a realidade que me era imposta quase sempre desagradável ou desinteressante, não podia admitir (conceitualmente) como o referido compositor haveria deixado passar aquele *insight* mirabolante!

E mamãe me advertia, em sua diligência pedagógica: "Joãoluizinho, é 'upa'. U-pa Neguinho". E eu me fazendo de desentendido: "Mas, mamãe, upa a gente fala praqueles cavalinhos de aluguel lá em Pedro do Rio!"

Afinal de contas, o "ultra" era o fulcro epistemológico da mensagem!

O "ultra" era, sem sombra de dúvida, o grande mote transcendental daquela canção.

Até hoje me pego cantando, sem mais nem por quê, Ultraneguinho na estrada...

Um mecanismo semelhante de "reordenação" se sucedia ao ouvir o monumental organista Ed Lincoln.

Aquele som saltitante, inovador e intrigante do seu órgão chegava muito perto do registro da voz humana!

Mas ainda não era o som da voz humana que saía do órgão.

Todavia, essa sensação extraída pelo entusiasmo que a originalidade do órgão de Ed me passava me incentivou a procurar pelo tal instrumento que moldasse os mais variados sotaques das mais variadas línguas do planeta, de modo que, se você apertasse a tecla do referido instrumento (devidamente regulado), conseguiria pronunciar qualquer fonema com o sotaque legítimo de cada região do globo: do bávaro ao baiano!

Passei a pesquisar febrilmente onde fabricavam o suposto instrumento, em várias fontes de seriedade indiscutível, como a *Enciclopédia Barsa*, *Thesouros da juventude*, *Popular Mechanics*, *Popular Science*, o célebre programa de rádio na JB com o saudoso Majestade: *Pergunte ao João*. Contudo, mamãe, em sua santa sabedoria, com muita psicologia, me alertou, com aquele mesmo jeitinho de quando teve que me dar a traumática notícia da inexistência de Papai Noel, que esse instrumento jamais existira (fato que me animou mais ainda pela possibilidade de inventá-lo eu mesmo) e que, se continuasse a enxergar as coisas daquela forma, haveria de sofrer muito na vida. "Meu filho, enxergue a vida como ela é."

Poderia ficar aqui a descrever mais outros tantos episódios de "reordenações semântico/cognitivas", mas creio já estar de bom tamanho, e assim já podemos escrutinar esse material tão eloquente, para então nos dirigirmos a algumas conclusões.

Por deter esses traços... excêntricos, acabei por me tornar um menino muito desconfiado em relação a tudo o que me ensinavam.

Percebendo as coisas que me rodeavam de forma integralmente diferente do que me era apresentado, eu tendia a dispensar a maioria dos ensinamentos a mim ministrados, elegendo somente fontes próprias que eu considerasse dignas de extrema e total confiança.

E, desafortunadamente, havia episódios que só aumentavam esse abismo.

Meu pai me chamava de mão de onça (com toda a razão), pois não mostrava a mínima habilidade ou aptidão para trabalhos manuais. Minha mãe, por seu turno (e também coberta de razão), morria de preocupação ao perceber seu filhote querido virado num indolente, preguiçoso, desastrado, imprestável.

Constatava com horror minha caligrafia repleta de garranchos ilegíveis, minhas chicanas visando exclusivamente à procrastinação e à divagação oligoide.

Não sabia sequer amarrar os sapatos e, assim, minha saída para tantas inabilidades foi criar meu mundo particular, onde poderia exercer um mínimo de proficiência, liberdade e amor-próprio.

Quando comecei a tocar bateria, meu pai me avisou que, se realmente quisesse tocar direito, deveria procurar ter aulas do instrumento. Mais uma vez ele estava certo.

Me lembro da primeira (e única) aula de bateria que tive na minha vida: fui à casa do meu professor, uma quitinete com um catre e uma bateria espremida num canto, e, após ser apresentado aos tambores e aos pratos com suas devidas características sonoras (ele, que era cego, provavelmente ignorava que eu já tinha minha bateria), meu professor começou a aula afirmando que aquele era um instrumento de acompanhamento e deveria ser tocado com delicadeza.

Delicadeza?!

Fiquei alarmadíssimo com essa informação, mas, como estava ávido por aprender, prossegui atento aos novos ensinamentos.

Sem nenhuma transição, o professor se sentou à bateria e tentou me ensinar um novo ritmo: "o rock-balada".

E, para meu desespero, começou a executar uma batidinha que tentarei criptografar para vocês: "tim, timtim - tátá tumtum - tim-timtim tátá tum tum".

O "tim" é a cúpula do prato; o "tá", o aro do tarol (ou, para ser mais contemporâneo, a caixa); e o "tum", o bumbo.

Foi a gota d'água.

Expliquei ao papai, assim também como à mamãe, que não gostara da aula, que o professor tocava uma bateria muito da boboca (imaginem só eu, um fã secreto dos Brazilian Bitles, Pops, Silvery Boy, que eram feras e modernérrimos!), que eu tinha um repertório bem mais interessante de batidas, exercícios e conceitos sobre o instrumento, diametralmente opostos ao do meu efêmero mestre e, portanto, não iria me sujeitar a ficar aprendendo a tocar "rock-balada".

E assim fui me tornando um autodidata...

E assim não tenho nem sequer o colegial completo.

Não pensem vocês que me vanglorio do fato de ser um autodidata. Me constrange a inépcia ao aprendizado ortodoxo. Como um ser arcaico que sempre fui, ansiava por concluir a academia, ter um estofo teórico sobre as coisas, estudar línguas mortas, usufruir a ortografia machadiana, sorver os conhecimentos insondáveis de mestres iluminados e exclusivos dos iniciados, receber um diploma com aquela beca e chapéus chiquérrimos e pertencer ao mundo dos normais como qualquer outro guri.

Mas algo muito forte dentro de mim me puxava para o lado oposto a esses tão legítimos e singelos anseios.

Receio que essa exoticidade comportamental tenha sido responsável por ter me tornado, à vista de meus coleguinhas, um verdadeiro otário arquetípico que, via de regra, era sacaneado, encarnado, zoado e, invariavelmente, banido da turma.

Somente após alguns anos de sofrimento percebi, varado de luz, que minha defesa em relação àquela rejeição humilhante seria justamente sublinhar e antecipar a encarnação da galera, me tornando um retumbante palhaço a zombar de mim mesmo, evidenciando minhas mazelas, meus defeitos físicos, minhas inaptidões sexuais, muito antes que os outros sequer pensassem em me tratorizar.

Vocês podem me advertir, decepcionados: "Mas você já escreveu sobre isso, Xurupito!" E eu respondo: "O que seria de um homem sem suas sonoras repetições, sem o desfrutar neurótico de seus estribilhos redundantes, sem utilizar suas mazelas existenciais como refrões. Sim! A ribombar refrões de fazer inveja a vários Allan Poes por metro quadrado, para, através dessas repetições maníacas, obsessivas, se encontrar perdido num mantra revelador e vagar, por um labirinto eterno, rumo ao eterno retorno do outro, sempre o mesmo, e, assim sendo, encontrar a paz e a cura."

Voltando à vaca fria: e não é que deu certo? A partir daquele momento fronteiriço, me tornaria, assim, a grande atração após as festinhas (eu nunca conseguia ninguém para dançar comigo em virtude da minha anacrônica e repulsiva aparência), e, assim que o arrasta-pé terminava, iniciava minha bem-sucedida sessão de autoesculhambação para a gargalhada e deleite de toda a turma.

Foi assim que percebi a grande vantagem em ser uma criatura confessional e, portanto, desde então, passei a adquirir uma resiliência e uma imunidade robustas à chacota, passando, portanto, até a ocupar uma discreta liderança e a exercer uma inesperada autoridade sobre meus coleguinhas.

Não somente sobrevivia, não somente suportava: eu prosperava! Me flagrava cada vez mais autoconfiante e, de certa maneira, mais desfrutável, mais sexy!

Na verdade, enfrentar esses conflitos tornou-se uma das minhas principais distrações. E o mais curioso nisso tudo é que, após décadas de seriíssimos conflitos internos, passei a me deleitar (até mesmo a me envaidecer) por ser do jeito que sou e a tirar o melhor proveito de todas essas características heterodoxas e esquisitonas da minha personalidade singular, com apenas um senão.

A pior forma de solidão é ser amado pelo que você não é

Nunca foi segredo para ninguém que um dos meus maiores heróis, entre tantos outros que tenho, é o nosso gênio da raça, Nelson Rodrigues.

Obcecado por suas frases, seus livros, suas colunas esportivas, suas peças teatrais, sempre me nutria (e ainda me nutro) de sua obra como objeto de inspiração, arrebatamento e modelo.

Portanto, fosse seu estilo único de escrever, sua precisão cirúrgica em enxergar a natureza humana, ou a natureza do brasileiro, que é quase isso, sempre com seu humor único ou seu sentido trágico da vida, tudo que Nelson pensava ou escrevia eu tentava imitar. E esse fascínio se estendia a sua expressão facial, suas bochechas, seus gestos manuais, o olhar sampaco... Por muito pouco cheguei ao paroxismo de me tornar um torcedor do Fluminense desde criancinha por puro amor ao Nelson.

E esse universo rodriguiano sempre me impulsionou a desenvolver temas "soprados" por Nelson, como se ele fosse um *band leader* numa *jam session* de jazz.

E foi através de uma de suas frases mais instigantes e cruéis ("a pior forma de solidão é a companhia do paulista") que pude desenvolver um dos questionamentos interiores mais centrais na minha alma.

O que me fascinou na frase foi justamente a luz ofuscante derramada sobre uma área tão obscura em meu ser: qual seria para mim a pior forma de solidão? Com toda a certeza, não era a companhia de um paulista.

Essa pergunta permaneceu latente por anos, décadas, até um determinado momento em minha vida, quando saí da cadeia para me tornar alvo de uma adoração, admiração e curiosidade absolutamente indevidas, fato esse que me causava repulsa, desconforto, medo e... solidão.

Finalmente, vivenciei na carne e na alma minha pior forma de solidão: a de ser amado pelo que você não é.

Aquele assanhamento todo em torno da imagem de doidão, maconheiro, rebelde sem causa, transgressor me fazia um mal terrível. Percebia que o foco daquele interesse feérico era advindo de uma mórbida curiosidade zoológica, de uma representação e projeção coletivas, e um distanciamento cada vez maior da minha música, dos meus anseios e da minha real identidade.

Minha persona se transformou numa caricatura, e essa caricatura era amada e imitada por uma multidão de pessoas.

E ser odiado pelo que você não é? Afinal de contas, esse sentimento ocorre com tanta ou mais frequência que o amor indevido, no entanto, amar, por ser o amor um ato de abnegação, de entrega, pertencimento, amálgama, um abraço na alma do outro, exige responsabilidade do objeto amado; enquanto o ódio indevido, por ser o ódio um sentimento negativo, de repulsa, rejeição, invasão do outro e pulsão de aniquilamento, o ônus da solidão fica com o sujeito, e não com o objeto do ódio, seja ele indevido ou não.

Se você é odiado pelo que você não é, o problema é todo de quem te odeia, enquanto se você é amado pelo que você não é, o problema é todo seu, o vazio é todo seu.

É curioso, mas é a mais pura verdade.

Por esse motivo é que se tornou tão comum em minha vida meu desembarque existencial das personas que desconstruo (e que tanto decepciona as pessoas), numa espécie de cavalo de pau de mim mesmo.

Quando sinto o deserto do estrabismo emocional, o sopro gélido do amor indevido, o exílio do afeto ao anti-Eu, caio fora.

Contudo, fui muito afortunado pelo destino, que me deu a possibilidade de criar oportunidades e gestos que me proporcionaram desfrutar o amor verdadeiro das pessoas, e isso é uma conquista muito recente.

Desconfio que esse influxo amoroso, resultante da minha permissão em me mostrar como realmente sou, levou o nível das minhas relações para uma esfera de genuinidade, sinceridade, serenidade, desafetação e despreocupação.

Dessa forma, posso prosseguir minha jornada com mais alegria, pertencimento e fofura.

Quanto aos ódios pelo que também não sou, bem... além de lamentar por aqueles que o praticam, eu os capitalizo.

Talvez esse pequeno interlúdio na narrativa do livro, com algumas reiterações aparentemente repetitivas de um passado longínquo, possa trazer à luz muitos dos meus desvios, das minhas esquisitices, dos meus solavancos comportamentais e da razão por ter tantos atritos e querelas com meu entorno existencial (e físico), e quais os motivos para despertar tantos sentimentos paroxísticos: amor, ódio, paixão, repulsa – jamais indiferença.

Capítulo 17
2017 | Os anos 1980 em livro

O ano de 2017 foi o ano do Galo de Fogo no horóscopo chinês, época para mim emblemática, que aparece apenas de sessenta em sessenta anos.

Portanto, período de comemoração dos meus 60 anos, e eu, por essas e outras, andava animadíssimo com a possibilidade de empreender uma quantidade alarmante de projetos incríveis, de ígneas proporções, naquele ano tão especial.

Logo após as celebrações do réveillon, eu e Maria Bonita (que sempre vive grudada em mim) nos enfurnamos no estúdio, disputando freneticamente o teclado do computador para dar início às pesquisas e à escrita do meu próximo livro: o *Guia politicamente incorreto dos anos 80 pelo rock*.

Como escrever essa história?

A primeira providência que tomei foi entrar em contato com alguns daqueles pioneiros impávidos, meus amigos e irmãos geracionais, no intuito de dar uma refrescada na memória. Como um dos sócios fundadores daquele período, tinha essa vantagem no meu relato: eu estava lá, produzindo e vivenciando as mais delirantes aventuras.

O primeiro papo de imersão foi com o guitarrista Miguel Barella, lenda viva, pioneiro do new wave, fundador da banda mítica paulistana Agentss e posteriormente da Voluntários da Pátria e que fez parte da formação da Gang 90 na mesma época que eu.

Recordamos uma penca de casos inimagináveis de Júlio Barroso, num teor de improbabilidade tal que, se não houvesse a corroboração mútua de que ambos testemunhamos tudo aquilo, seria muito difícil sairmos por aí jurando de pés juntos que semelhantes absurdos possam ter realmente acontecido. Como, por exemplo, o célebre episódio de Florianópolis, naquele show de réveillon no Iate Clube local, as noitadas descaralhantes na Lira Paulistana, as festas no terraço do prédio da Dacon...

Em seguida contatei William Forghieri, meu querido amigo Billy The Kid, grande tecladista, outro companheiro de Gang 90, de quarto de hotel, que gravaria comigo todo o meu primeiro disco (*Cena de cinema*) e, em seguida, ingressaria na Blitz, onde permanece firme e forte até os dias de hoje.

Para meu espanto e alegria, dividimos nossas lembranças, e ouvi sua versão sobre os descalabros espetaculares das turnês da Gang 90 (ele também estava na mesma formação que o Barella).

Conversei também com o Juba, amigo e irmão, que me substituiria na Blitz, onde comanda as baquetas até os dias de hoje. Juba é uma outra lenda das noites paulistanas desde os primórdios dos anos 1980 e, como não poderia deixar de ser, com inúmeros casos em sua imensa bagagem.

Entrei em contato com Alice Vermeulen (ex-Pink Pank) na Holanda, ex-Absurdette, ex-mulher de Júlio Barroso e também minha ex-mulher e parceira em várias canções.

Consegui uma visita do primordial Clemente, que passou uma noite agradabilíssima na minha casa e, entre um e outro copo de vinho, recordamos nossas noitadas incríveis pela noite paulistana, com Branco Mello, dos Titãs, e sua carismática mãe.

Clemente é o líder do seminal e lendário Inocentes, na ativa até os dias de hoje. Guitarrista, cantor, compositor, ator, DJ, produtor e apresentador de TV, pioneiro do punk brasileiro (fundou o Restos de Nada/Condutores de Cadáver), ele também arranja tempo para tocar na Plebe Rude.

Outra figuraça que compareceu com suas histórias mirabolantes foi meu querido Nasi, do fundamental IRA!, sem falar do meu querido irmão, a maior máquina de fazer hits de nossa geração, Roger Moreira.

Um ser recluso e relutante em sair fora de seus domínios (assim como eu), Roger se dispôs a me visitar. Ao concordar solícito e prestimoso, o rejúbilo Roger me aparece numa tarde quente do verão paulistano, e eu já vou logo dando aquela sacaneada nele: "Porra, Roger, eu me mudei pra São Paulo e isso aqui tá pior que o Rio de Janeiro, cacete! Que calor dos infernos!" Com o ar-condicionado no 11, sentamos à mesa da sala de jantar e começamos a debulhar nossas aventuras: a épica turnê pelo interior de São Paulo, com o Ultraje, os Ronaldos e o Kiko Zambianchi, com meu poderoso e querido amigo Fausto Silva de MC!

Sim! A turnê era uma espécie de versão *on the road* do *Perdidos na Noite*, batizada de Perdidos do Rock.

Fausto foi outro companheiro de aventuras a quem recorri ao telefone para conferir alguns fatos um tanto difíceis de acreditar que aconteceram naquela turnê, e, para minha surpresa, meu amigo guarda em sua memória "causos" detalhadíssimos, cômicos, picantes!

Naquela turnê enlouquecida, produzimos batalhas de pistolinhas d'água e guerras de travesseiro entre os componentes da trupe. Eu estava namorando minha querida Monique Evans, que também participava daquele grupo, quando todos nós tivemos um mês na estrada de pura diversão, farras memoráveis e shows espetaculares.

Além daquela esfuziante e apocalíptica turnê, relembramos às gargalhadas minha participação nos backing vocals de "Nós vamos invadir sua praia", quando jogávamos pingue-ponge e brincávamos de autorama lá no estúdio do Liminha, onde aconteciam as gravações do disco.

Nosso código relacional sempre foi movido a sacaneadas mútuas, e, da minha parte, ao gravar o vocal, tentei imitar um paulista bokomoko ("eu recomeindo", "vê se traz a vitrolinha" etc).

E, no embalo daquelas recordações hilariantes, convidei Roger para conhecer meu estúdio, lá no fundo do quintal, e mostrar minha intensa produção musical.

Foi quando tive a ideia de tentar persuadi-lo a fazer nossa primeira parceria musical. Mostrei a ele um teminha instrumental que havia gravado na semana anterior como pretexto para estrear minha nova bateria Premier, que fiz um escambo por um violão, e perguntei se ele se entusiasmaria em colocar uma letra naquilo.

Ele ouviu atentamente (Roger é chato pra caralho!), franziu as sobrancelhas e disse: "Vamos nessa!"

Minha alegria e emoção foram intensas. Iniciamos logo a escolha do tema da letra. A parte musical era vigorosa e um tanto cômica.

Achei que poderíamos engendrar uma canção com o intuito de dar uma sacaneada em alguém ou em algum segmento adversário, uma vez que nós dois, como todos sabem, somos tidos e havidos como dois estupores, duas deformidades do rock, fascistas, reacionários, blá-blá-blá...

Decidimos mirar na figura ridícula do "universotário" de butique, na cobaia ideológica de professores neostalinistas, pobre cenográfico da Vila Madalena, que se adorna de adereços indicativos de uma pobreza postiça, imaginária, delirante e... *voilà*!

Nessa vasculhada preambular já havíamos escolhido um título: "O bobo"!

Roger levou um MP3 para casa me prometendo que em algumas semanas me traria a letra pronta.

E assim foi. Demorou um pouco mais que algumas semanas, mas eis que, um belo dia, no final de fevereiro, Roger me passa uma mensagem de Whatsapp avisando que a letra estava pronta. Eu o convenci de retornar à minha casa e, assim, participar também da gravação, cantando comigo.

Ainda burilamos algumas partes para encaixar melhor a letra na música, alteramos algumas palavras e partimos céleres para gravar aquela pérola maldita da música popular brasileira (foi assim que avaliamos nossa obra recém-nascida).

E, com vocês:

O bobo

Mas veja só esse comportamento
É tão conveniente quanto confortável
Não é preciso muito discernimento
Nem se preocupar em ser razoável
Jura de pé junto que é Zé-povinho
Mas só quer andar com o pessoal descolado
É tão rebelde quanto um carneirinho
Que obedece à patrulha pra não ser patrulhado
E alguém tá rindo da tua certeza
Um revoltado bobo é uma beleza de se enganar
Você caiu feito um marreco no esquema pena pena pena
Mas é que o burro não sabe que é burro
Ele só quer é tirar onda no meio da manada
Papai Noel te faz de rena rena rena
Você tinha certeza de tudo
Mas se desesperou
Você engoliu a lorota de um mundo
Que te devorou
Pois a certeza de tudo é um sorvete na testa
Que te carimbou
E o conforto do rebanho é uma teta cega
E que você mamou[1]

O single foi lançado em março, a gravação ficou uma "pedrada" e, como já esperávamos, a repercussão foi próxima ao nulo, mas nos divertimos à beça.

Mas o foco aqui é a feitura do livro, e, assim como aconteceu naquela oportunidade, voltemos ao nosso relato.

Municiado daquela enxurrada de informações provenientes de meus queridos amigos, comecei a elaborar a formatação da nossa história.

Confesso que, a princípio, abordei o projeto com alguma irresponsabilidade, já que tinha em mente passear pelo período contando minhas histórias e, posteriormente, dar uma zoada costumeira baseado em todas as minhas já tão decantadas críticas que venho colecionando desde sempre.

No entanto, como tem ocorrido em todos os meus livros, acabei por mudar diametralmente de opinião em relação àquela época quando me dispus a ouvir a discografia inteira daquela geração.

Resolvi iniciar o relato no ano de 1976, para evidenciar a participação dos verdadeiros pioneiros na elaboração estética do que viria a ser os anos 1980.

A grande maioria dos relatos sobre esse tema tende a abordar os anos 1980 quando eles já estavam estabelecidos havia muito tempo. Portanto, acredito que o evento seminal daquela geração foi, sem sombra de dúvida, o Festival de Saquarema de 1976.

Foi naquele festival que Rita Lee conheceu o Roberto de Carvalho e, alguns anos mais tarde, formaria uma dupla com ele, cometendo, assim, a primeira leva de grandes hits dos anos 1980.

Guilherme Arantes lançava seu primeiro LP solo. Júlio Barroso retornava mais uma vez de Nova York, firmemente imbuído em formar uma banda new wave. Patrick Moraz, recém-integrado a um dos maiores grupos de rock progressivo de todos os tempos, o Yes, estava presente no festival, ao lado de sua então esposa (grávida de sua filha), que viria a se tornar minha mulher dali muito em breve.

Patrick decidiu abandonar o Yes para entrar no Vímana, que, após quase um ano de exaustivos e conflitantes ensaios para uma turnê mundial como um novo supergrupo "prog", acabou se desmantelando para, uns quatro anos mais tarde, ter o reaparecimento de três dos seus integrantes como artistas solo: eu, Lulu Santos e Ritchie.

Ainda no final da década de 1970, Marina Lima lançou seu primeiro disco, eu passei a integrar a banda de acompanhamento de

Marina e ela acabou por me inventar como compositor, em 1980. Do encontro com essa banda da Marina e o Asdrúbal Trouxe o Trombone, nasceu a Blitz. A Gang cometeu o primeiro hit de uma banda daquela nova geração com "Perdidos na selva", e depois eu passei a integrar o grupo.

Todo esse período seminal de formação dos anos 1980, como num passe de mágica, foi relegado ao esquecimento para a grande maioria daqueles que se dispuseram a pesquisar sobre a geração. Talvez, por isso mesmo, o livro haveria de causar muito desconforto perante tal "crítica especializada".

Mas não nos adiantemos.

Escrever esse livro me proporcionaria uma das jornadas interiores mais doloridas e, ao mesmo tempo, mais amorosas e reveladoras (e redentoras) que já experimentei em toda minha alvoroçada vida.

Minha primeira providência foi ouvir (com muita relutância) os discos dos quais havia participado, como o primeiro da Blitz (eu ainda era o baterista oficial da banda), o da Marina (gravei bateria em "Me chama"), o do Lulu Santos, em "Adivinha o quê?" (backing vocals). Nos dois discos do Ritchie (*Voo de coração* e *A vida continua*), eu gravei as baterias. Além, é claro, do meu primeiro disco solo, o seminal *Cena de cinema* e o com os Ronaldos, *Ronaldo foi pra guerra*.

Apesar da péssima qualidade do som, acabei me emocionando ao ouvir "Vítima do amor" com a Blitz, "Menina veneno" com o Ritchie, entre outras tantas, e decidi abrir o leque ouvindo toda a discografia do meu irmãozinho querido, Cazuza.

Foi aí que começou a catarse.

Como havia proibido Cazuza de me mostrar suas versões das nossas parcerias, desmoronei de chorar ao escutar pela primeira vez "Mal nenhum" gravada por ele.

Cazuza gravou seu último disco (*Burguesia*) deitado no estúdio, por não ter mais condição de ficar sentado.

"Vida louca vida" cantada por ele é arrebatadora. Ele se apropriou da canção, como se fosse ele o autor daquela letra.

E, debaixo daquela torrente emocional, passei a ouvir os discos daqueles artistas que outrora tanto defenestrara.

A primeira faixa que ouvi dos Engenheiros do Hawaii foi "Cidade em chamas", que me deixou impressionado com a intensidade de sua letra. Fiquei alguns minutos catatônico, parado, tomado. Recobrei os sentidos e passei aquela tarde ouvindo todo o restante da discografia dos Engenheiros.

Começar a ouvir os discos dos Paralamas me foi muito espinhoso, mas eis que me flagro chorando ao ouvir "Por quase um segundo" e "Lanterna dos afogados".

Naquele momento, estava no oitavo capítulo do livro. Parei a audição por uns instantes para jogar no lixo tudo o que havia escrito até então, e comecei tudo de novo com uma outra impressão sobre aquela geração, incluindo meus agora ex-desafetos.

É impressionante a quantidade e a qualidade de grandes sucessos que, após mais de trinta anos, perduram no imaginário dos brasileiros, sobrevivendo ao inclemente teste que o tempo impõe.

Com todos os obstáculos, perdas, mortes, precariedades de gravação, o desdém endêmico da *intelligentsia* tupiniquim pelo rock, a geração dos anos 1980 produziu, num período relativamente curto, um número impressionante de músicas que se transformariam em verdadeiros clássicos do cancioneiro popular brasileiro.

Esse livro é uma declaração de amor e uma homenagem sincera a todos esses artistas que acabaram por impor sua presença, através de seu talento e genialidade, num terreno inóspito e improvável que é fazer rock no Brasil.

Inspirado no livro, vamos fazer um disco duplo?

E sob o tremendo impacto emocional que foi redigir o *Guia*, decidi completar o tributo escolhendo canções de vários daqueles artistas para me embrenhar numa nova aventura: a de intérprete.

Nunca passou pela minha cabeça gravar um disco com versões de outros compositores, e, só de pensar na ideia, me dava um frio na barriga.

Como estava saindo de uma aventura de abissal introspecção, e solidão, gravando um disco em que tocava todos os instrumentos, tratei de abordar esse novo projeto como uma banda e, sendo assim, convoquei meus amigos e companheiros Os Eremitas da Montanha para produzir um álbum duplo.

O ano do Galo de Fogo estava se saindo melhor que a encomenda, com uma profusão de projetos.

No próximo capítulo, abordaremos o lançamento do *Guia politicamente incorreto dos anos 80 pelo rock* e o início das gravações do que será o álbum duplo *Antologia politicamente incorreta dos anos 80 pelo rock.*

Capítulo 18

2017 | Enfim, um álbum duplo!

Rodrigo de Almeida

Em toda a extensão do trabalho de pesquisa e da elaboração do *Guia*, contei com visitas constantes do meu editor, Rodrigo de Almeida, à minha casa. Durante essas nossas conversas, por meses a fio, entre um cafezinho e outro, percebi que, para além do contato profissional, nascia ali uma sincera amizade entre nós.

Rodrigo é uma flor de pessoa, sempre de uma delicadeza e de uma educação raras de se encontrar. Verificava com espanto e admiração seu respeito estoico, docemente resignado, em ouvir minhas opiniões, algumas visivelmente conflitantes com as dele, muitas vezes amortecendo minhas abordagens cruéis com análises serenas, francas, equilibradas, me aparecendo sempre com dicas produtivas em torno da feitura do texto do livro.

E eu, cá com meus botões, percebia: "Com que classe ele me atura!"

Essa admiração e esse meu carinho por Rodrigo só aumentavam, principalmente quando o flagrava expressando com habilidade e tato sua refração educadíssima às minhas piadas, não raro de gosto duvidoso, sobre Chico Buarque ou sobre a MPB em geral, invariavelmente recebidas com seu sorriso amplo, às vezes um tanto cansado, dolorido, a me confessar: "Lobão, é duro demais ouvir isso."

Todavia, mesmo com percepções de mundo muitas das vezes diferentes (e talvez por isso mesmo), floresceu esse afeto real entre nós.

Rodrigo, do alto de sua autoridade profissional (além de jornalista, é cientista político, foi diretor de Jornalismo do IG e editor executivo do *Jornal do Brasil*), jamais mostrara algum mínimo sinal de tentativa de me dissuadir das minhas mais acres investidas, muito menos das minhas intenções de utilizá-las no livro, mesmo que resvalando quase sempre em suas preferências estético-musicais pessoais, que, por obras insondáveis do destino, somadas a protocolos profissionais, nos colocariam, fosse uma outra pessoa, com outro temperamento, numa situação potencial para algum choque.

Ao final desse trabalho de organização e pesquisa, mesmo estando embevecido pela maturidade e conduta irretocável do meu editor, vim a saber de algo que abalaria minhas estruturas: Rodrigo de Almeida, além daquele extenso e respeitável currículo profissional exposto acima, também havia sido assessor de imprensa do Ministério da Fazenda e secretário de Imprensa da Presidência da República nos anos 2015/2016!

Secretário de Imprensa da Dilma!

Confesso que quase tive um piripaque de fundo nervoso ao saber daquela proximidade tamanha com um governo que tão ferozmente combati por todos esses anos e que, ressabiadíssimo, não podia deixar de relevar a expressa animosidade que ainda vigorava vividamente entre os militantes petistas e a minha pessoa, fosse nas redes sociais, fosse inviabilizando meus shows através de ameaças aos contratantes, fosse nos bares, botequins, shopping centers e calçadas.

Entretanto, Rodrigo flutuava elegantemente acima de todos aqueles conflitos pedestres, comezinhos, e, como um verdadeiro Fred Astaire comportamental, conduziu nossa parceria a um patamar de amizade, sempre com suavidade e delicadeza, contornando todos esses possíveis obstáculos.

Afinal de contas, como não deixar de admirar ainda mais um sujeito, mediante todas essas circunstâncias conflitantes, que, sendo qualquer outro, poderia cultivar ressentimentos recônditos dos mais tenebrosos ou agir protocolarmente, me aturando apenas por motivos profissionais? Exatamente ao contrário disso, percebi não somente sua impecável conduta de editor, mas, antes de mais nada, também um amigo sincero e atencioso, que afastou qualquer tipo de divergência estético-ideológica de lado, como um exímio bailarino, colocando com habilidade, sensibilidade e graça todo seu respeito pelo livre-pensamento, pela seriedade com que vive seu ofício e com um afeto manifesto por mim.

Poderia ter escolhido colocar este texto nas páginas de agradecimento, como geralmente é de costume. No entanto, como é fácil concluir, trata-se de uma história que vai muito além disso, que transcende protocolos e gentilezas, mesmo as mais genuínas.

Essa é uma daquelas histórias de vida, que se transformam num exemplo tão necessário para nos guiar nesses dias de tormenta que vivemos, tão irascíveis, tão intolerantes entre nós, os brasileiros.

Portanto, fica aqui esse registro do meu respeito e amor ao meu editor e amigo querido, Rodrigo de Almeida.

Início das gravações do álbum duplo

Já com o livro no prelo e sob o impacto de sua escrita, concluo que se tratava de um projeto mais amplo, bem mais abrangente. Tendo em vista o nível de envolvimento emocional que tive com o *Guia*, somado a toda a minha aflição em relação ao som das gravações dos anos 1980 e à minha recentemente adquirida proficiência em gravar e mixar com o som que sempre me exigi, percebi ser inevitável e imprescindível partir para mais uma aventura e me arriscar como intérprete, dando uma roupagem autoral a grandes clássicos dos anos 1980.

Pela quantidade de canções incríveis daquela época, seria obrigado a produzir meu primeiro e almejado álbum duplo.

Portanto, seria imperativo sair em vinil, é claro! Com direito a edição de luxo, gravação de alta qualidade, impressão de primeira, papel de capa escolhido a dedo, arte da capa do genial Lambuja, o mesmo autor da capa do livro... Enfim, todas essas ideias já borbulhavam na minha cabeça quando comecei a gravar "Virgem" (Marina Lima e Antonio Cicero) e "Certas coisas" (Lulu Santos e Nelson Motta) no estúdio da minha casa.

Contudo, ao perceber que minha banda estava mais unida do que nunca, tendo inclusive nome e identidade próprios, decidi gravar o disco como uma verdadeira banda de rock, algo que ansiava por fazer havia décadas.

Sendo assim, convoquei meus amigos de banda: Armando Cardoso, na bateria; Guto Passos, no baixo; e Christian Dias, nas guitarras – Os Eremitas da Montanha. Uma tremenda façanha criar 25 novas versões de clássicos imorredouros dos anos 1980.

Como constatamos de cara, o disco clamava por arranjos de teclado, portanto, decidimos convocar um quinto elemento, e chamamos o gaúcho, versátil e psicodelérrimo Felipe Faraco, que, dentre outras aventuras, havia tocado com o saudoso e genial Júpiter Maçã, sendo também baixista, produtor musical, compositor e professor de produção de música eletrônica e cinema na Universidade Anhembi Morumbi.

Um efeito colateral dessa convocação foi perceber a inadequação do meu estúdio para um quinteto gravar, pois nossa intenção era executar todas as faixas com todos os integrantes da banda tocando juntos. Para isso, precisávamos de mais espaço e da garantia de que produziríamos um disco com uma qualidade estupenda e inquestionável. Caprichar nos mínimos detalhes era nossa meta e, sendo assim, decidimos que seria de vital importância gravarmos todo o material em um dos melhores estúdios da cidade.

Após minuciosa busca na internet, fizemos nossa opção: um tremendo estúdio com um pé-direito de quase dez metros de altura, portanto, uma sala com uma ambiência fantástica, mesa Neve (uma Ferrari em forma de mesa de som), equipamentos dos mais variados, uma coleção dos melhores microfones do planeta, um andar só de kits de bateria, com inúmeras marcas, tamanhos, feitios e acabamentos; ou seja, tratava-se de uma Disneylândia sônica!

Para executar semelhante tarefa, era imperativo engendrar mais uma campanha de *crowdfunding* no intuito de bancar aquele projeto tão ambicioso e custoso, pois a vontade de realizar um disco com músicas dos anos 1980 como se fossem canções feitas nos dias de hoje era algo que exigiria todos os nossos esforços.

Uma vez a campanha lançada, decidimos entrar no estúdio em regime de 12 horas por dia para terminar as gravações o mais rapidamente possível.

Como ainda não tínhamos escolhido todas as faixas do álbum, passávamos manhãs inteiras já enfurnados no tal estúdio de grandes proporções, testando a pertinência estética ou a adequação ao meu registro vocal, para, enfim, eleger cada canção, e, assim, passarmos a imaginar seu arranjo.

Lembro-me de ter tentado, sem sucesso, umas três músicas dos Titãs, por não conseguir passar algo de original, criativo ou interessante o suficiente para ter um real propósito em regravá-las, assim como algumas do Ritchie (estava louco para cantar "Menina veneno", mas não tive nem o registro vocal nem tampouco a necessária envergadura psicológica para introjetar o texto da letra, sempre vacilando na parte do "abajur cor de carne").

Sem sombra de dúvida, essas foram algumas das minhas maiores frustrações em todo o projeto.

Iniciamos as gravações no tal estúdio com "Geração Coca-Cola", e foi uma emoção indescritível contar até três e a banda atacar com fúria e emoção, como se estivéssemos no palco.

O sistema de gravação era simples: escolhíamos o andamento, verificávamos a adequação do tom para meu registro de voz, pegávamos a letra na internet, ouvíamos com atenção a versão original e discutíamos como construir o arranjo.

No caso de "Geração Coca-Cola", fizemos uma junção um tanto insólita de Offspring, Ennio Morricone e Deep Purple.

A atmosfera de emergência do Offspring, os comentários da guitarra com *tremolo* típicos das trilhas de faroeste italiano do Morricone, mesclando essa *vibe* de cânions e cactos com a linha de órgão do Faraco fazendo um tributo a John Lord, cometendo um solo arrasador em uníssono com a guitarra do Christian, deixando baixar seu *à la* Ritchie Blackmore interior.

Não tivemos necessidade de alterar o tom da faixa (muito embora eu já tivesse passado do meu limite), gravando no tom original, fato esse que me deixou apavorado (essa coisa de gravar música dos outros me deixou muito apreensivo). O resultado? Emocionante, catártico.

Um excelente sinal de que teríamos um disco visceral, criativo, apaixonado, sofisticado, podendo, enfim, usar todas as influências e citações de qualquer período da história da música.

Esse método de gravar todo mundo junto dava um torque poderoso à música, e meu pavor de interpretar foi dando lugar a uma emoção intensa, uma ligação profunda com todos os autores, com todos aqueles que participaram de alguma forma da versão original.

Estávamos mesmerizados com a qualidade de som que saía das caixas do estúdio e, movidos por essa excitação, decidimos fazer *lives* diárias das nossas sessões pelo Facebook, que acabaram por documentar toda a trajetória de produção do disco, tornando-se instantaneamente um *must* para os aficionados de rock.

Havia uma certa tensão no ar em relação à liberação dos direitos autorais das faixas, muito pela burocracia, assim também pelas possíveis e absolutamente razoáveis suscetibilidades de alguns autores em relação ao fato de, logo eu, Lobão, o maior iconoclasta da geração, estar realizando esse tal "tributo".

Contudo, ao final do primeiro mês de gravações (o que, para nós envolvidos, era uma eternidade), as liberações foram chegando. A conta-gotas, até a última faixa, mas foram chegando.

No entanto, houve um incidente no meio do caminho que quase induziu os autores que já haviam liberado suas faixas a recuar quanto à liberação.

Só o imbecil não sobrevive à piada

Como bem observara Nelson Rodrigues, só o imbecil não sobrevive a uma piada. Só o imbecil é incapaz de se render à gargalhada de si mesmo ou diante de uma sacaneada salubérrima a evidenciar, com a crueldade impessoal do riso, nossos mais recônditos defeitos.

Ao escolher determinadas canções, imaginei poder ter uma certa liberdade de dar uma atualizada em algumas partes das letras, que se tornaram ligeiramente extemporâneas, ou uma simples adequada autoral em relação à minha pessoa ou ao meu gênero enquanto intérprete.

Esse é um hábito bastante corriqueiro, e vários intérpretes, durante décadas, vêm modificando ao redor do mundo letras de canções para ajustar o texto à figura, à personalidade, à realidade de quem a canta. Portanto, não se trata de um expediente inventado por mim. Inclusive isso acontece frequentemente comigo mesmo, como autor.

João Gilberto, quando gravou "Me chama", se sentiu incomodado com a frase "nem sempre se vê mágica no absurdo" e simplesmente a omitiu de sua intepretação. O Roupa Nova, ao regravar "Corações psicodélicos", trocou a expressão "Eu quero você na veia" por "Eu quero você no coração", e, sendo assim, era de espantar a ocorrência de tantas suscetibilidades e melindres em relação às minhas supostas interferências nas letras que iria interpretar.

Nesse atual projeto, senti algumas dessas necessidades como, por exemplo, em "Orra meu", quando alterei a estrofe "quanto mais o tempo passa, mais eu quero me divertir, me despir, me sentir". Troquei para algo mais minimalista, mais lobônico, dispensando os verbos "despir" e "sentir": "Quanto mais o tempo passa, mais eu quero me divertir, divertir, divertir!", por intuir que não seria lá muito minha cara sair por aí eufórico ansiando por me divertir, me despir e me sentir, não é verdade?

Da mesma forma aconteceu, por ocasião da gravação ao vivo de "Ovelha negra", quando alterei o gênero: "Foi quando meu pai me disse, filha" para "Foi quando meu pai me disse, filho".

Tinha em mente alterar o refrão da letra de "O tempo não para", na parte "vejo um museu de grandes novidades", para "vejo um museu de velhas novidades", uma vez que já havia comentado isso com o próprio Cazuza e ele mesmo mostrou gostar da ideia.

E foi com esse mesmo espírito que tentei abordar a letra de "Surfista calhorda", uma letra monumental que, no entanto, sofria de um certo desgaste em virtude de alguns evidentes anacronismos.

Todos sabemos que, nos idos dos anos 1980, o alvo mais corriqueiro de troças, blagues, tirações de sarro e sacaneadas homéricas era a impoluta figura do *yuppie*, o jovem especulador de bolsa de valores, um neojanota, meio moderninho, meio careta, que cheirava sua cocainazinha e vestia terno Armani. Burocrata convicto, frequentador de gabinetes e escritórios durante a semana e festinhas, farras, Baixo Leblon e cheiradas olímpicas com os amigos nos fins de semana.

Contudo, nos dias de hoje, cheirar cocaína não é mais chique. O *yuppie*, enquanto figura ridícula, se dissipou na sociedade, dando lugar a figuras bem mais representativas no que tange a caricaturas, afetações, posturas falsificadas etc. Por isso mesmo resolvi dar uma atualizada naquela blague que, em virtude da perda de significado em detrimento de sua datação, de seu emboloramento naftalínico causado pela ação inexorável do tempo, perdera em muito sua pujança dramática, assim como sua inerente hilariedade original.

Sendo assim, detectei o anacronismo inoportuno na frase "vive de herança milionária de uma tia/Vai pra Nova Iorque estudar advocacia!". E, respeitando o humor autóctone de bons gaúchos que são nossos queridos Replicantes, alterei uma frase apenas da estrofe para "vive de herança milionária de uma tia, e se matriculou na UFRGS pra estudar SOCIOLOGIA!".

Pronto! O surfista calhorda passou de *yuppie* neoliberal demodê para um jovem ativista, um clichê ambulante de esquerda, tão atual, recorrente e tão palpável nos dias de hoje. Em uma frase, desviamos a desconfortável sensação de obsolescência que exalava da canção, trasladando o ridículo e o jocoso do personagem *yuppie* de outrora para o "universotário", o pobre cenográfico, o proletário postiço, o rastaquera customizado tão em voga em nossa fauna nativa contemporânea (como estamos em tempos feéricos, quem sabe nos próximos seis meses a caricatura da vez será a de um terraplanista carola de direita?).

São, na verdade, personagens prenhes de simbologias referentes às cruéis consequências que a desatenção advinda do autoempoderamento desmesurado do jovem através das eras pode acarretar.

Nos anos 1980, o *yuppie* e sua arrogância neoliberaloide hedonista, cafona-chique e pretensiosa, nas primeiras décadas deste século, o *millennial*, vítima da industrialização em massa, cretino fundamental nas escolas e universidades, transformando o underground e a contracultura em maçantes e tediosas disciplinas acadêmicas.

Hoje em dia, quem fuma maconha é CDF e ganha medalha do professor. Antigamente, você era expulso da escola por ser maluco na vida. Nos dias de hoje, você vai à escola assistir a um professor cagar uma goma e te ensinar como ser um transgressor, para se deixar transformar numa espécie de maluco intramuros de estufa.

O *yuppie*, ao menos, ainda era um *self-made guy*, alguém que ganhava a vida por méritos próprios, mesmo que à custa de vil especulação, enquanto o *millennial* doidão ortodoxo é um mero parasita, dependente dos pais e professores: depende da grana do papai para sobreviver e do professor para pensar que pensa...

Olha quanta filosofia extraída de uma só frase, numa música tão emblemática como "Surfista calhorda"!

E isso só corrobora a força inesgotável que é de fato esse hino da contracultura brasileira. Vocês podem me inquirir: "Mas, Lobão, isso vai um pouco mais além de filosobol antropológico! Está claro que se trata de uma provocação escancarada, da mais deslavada piada em cima de uma piada!" E eu respondo: "É, sim." E repito o refrão do Nelson inflando as bochechas: "Mas somente o imbecil não sobrevive à piada."

Ora bolotas, um pouco de picardia e diversão faz parte dos ritos insondáveis do roquenrou, não é verdade? Se extirparmos a provocação, a transgressão, o humor, a piada, a sacaneada, o deboche, como prosseguir na crítica de costumes, na anedota canalhocrata, na troça gratuita, que são combustível para nossa criatividade, nossa liberdade e nossa saúde mental?

E mais! Se não somos capazes de levar na esportiva as sacaneadas alheias, que moral nos restará para perpetrar com alguma verossimilhança e genuinidade as nossas?

Entretanto, infelizmente, nossos queridos Replicantes morderam a isca. Já dizia o mestre do Oriente, o lendário monge zen-budista Lobãn Zang Rampa: "O reativo é a criatura mais manipulável que existe. Cutuque-o e tenha dele o que bem entender."

E o que obtivemos como resultado foi uma apoteose da reação com o veto da gravação.

No rastro desse "escândalo" que foi minha audácia em "adulterar" a letra de uma canção, começaram a pipocar ordens expressas de autores de outras faixas ameaçando retirar o direito de eu gravar suas obras se por acaso ousasse mexer em alguma palavra de suas canções. Ordens essas imediatamente acatadas por mim.

Os meninos dos Replicantes, ao que parece, ficaram enfurecidos mesmo com minha piada (tanto os autores como os fãs da banda gaúcha), passando a postar as mais insultadas declarações de ódio.

Coisas do tipo: "Valeu, Replicantes! Lobão é um bossal (*sic*). Não merece a honra de gravar um hino punk como 'Surfista calhorda'." Ou: "Vai facista (*sic*) calhorda! Vai cuzãozá outra porta! Replicantes negam direitos para Lobão regravar 'Surfista Calhorda'." Mais uma: "Lobão, o golpista calhorda, querendo se promover e 'ao mesmo tempo' estragar um clássico dos Replicantes."

Essa daqui veio do punho de um dos autores da canção: "Não vamos dar luz para golpista brilhar".

Essas declarações de amor inundaram semanas a fio todas as caixas de mensagens de todas as minhas redes sociais, comprovando, assim, que minha já alardeada "reordenação semântico-cognitiva" era uma das principais causas de ser amado pelo que nunca fui e odiado pelo que nunca serei.

Como era de imaginar, o incidente ganhou as primeiras páginas de todos os jornais e blogs brasileiros, manchetes em noticiários de rádio e TV, como esta aqui no UOL: "Lobão muda trecho e Replicantes proíbem uso de 'Surfista Calhorda' em disco."[1]

No G1, Mauro Ferreira escreveu em seu blog: "Proibido de regravar Os Replicantes, Lobão acata veto 'com esportividade'."[2]

Vejam só esta aqui, a pérola deliciosa que saiu na revista *Fórum*: "Banda punk proíbe Lobão, o golpista, de regravar sucesso dos anos 80." E complementa: "Em plena decadência musical, pretendia gravar e ainda mudar um trecho da letra de 'Surfista Calhorda', sucesso da banda gaúcha Os Replicantes nos anos 1980, mas foi proibido pelos autores. Atual vocalista da banda esculhambou: 'Fora, MBL! Fora, Lobão, ladrão de hits'."[3]

Um dos autores da música, disse: "Só gostaria de deixar bem claro que não fui consultado/avisado/alertado sobre alguém gravar uma música minha [...]."[4] Foi, sim, querido Heron. Nós tivemos todo o cuidado de estar em constante contato com todas as gravadoras de todos os autores inclusos no projeto.

O fato é que eu levei na esportiva mesmo. Não guardo o menor resquício de ressentimento para com Replicantes, tendo intactos minha admiração e meu carinho por eles.

A canção foi interditada pelos autores (total direito deles), mas foi gravada com fúria, amor e descalabro, e ficou uma pedrada.

Que fique para o santo.[5]

Fascista! Golpista!

Apesar de um emérito encrenqueiro, de um episcopal criador de casos, com uma capacidade quase que sobre-humana de gerar ódios irreparáveis, de provocar e instigar nos adversários os traços mais sórdidos, de fazer brotar as reações mais canalhas e desonestas geradas exatamente por esse ódio indizível, posso afirmar, sem a menor sombra de dúvida, que sou uma pessoa extremamente querida, amada e popular.

Por onde passo sou abraçado, festejado, cumprimentado e acolhido com expansividade, alegria, intimidade e afeto, como se fosse um parente próximo.

Consegui reverter aquela solidão implacável de ser amado pelo que nunca fui para atingir o patamar do afeto verdadeiro, do amor sincero e próximo, sem recorrência a uma figura pública falsa, longínqua, distante e inalcançável. E posso considerar esse feito uma das minhas maiores conquistas de vida.

Contudo, aqueles que têm uma quedinha em me odiar pelo que nunca fui, volta e meia pipocam em minhas andanças pelo mundo, criando episódios, na grande maioria dos casos, de cinematográfica jocosidade.

É batata! Quando esbarro em criaturas dessa natureza, o expediente é invariavelmente o mesmo: cruzam por mim em silêncio, conquistam um espaço considerado seguro (geralmente uns 50 a 65 metros de distância) e aí, sim, imbuídos de impávido heroísmo, lançam ao ar vitupérios igualmente repetitivos e invariáveis: "Fascista! Golpista!"

Como a feitura do disco me arrancou da rotina caseira que tanto me apraz e rejubila, fui impelido a adotar hábitos que exigiriam minha presença em locais públicos, como, por exemplo, o botequim da esquina do estúdio nas horas do almoço.

De fato, eram momentos adoráveis, de muitas conversas entre nós, Os Eremitas da Montanha, e o técnico de som do estúdio, nosso *mui* querido Ronaldão, e entre pratos robustos de arroz com feijão e cervejas geladas, elaborávamos entusiasmados e contentes os próximos planos de gravação para após o rango.

Entretanto, após a paçoquinha de sobremesa, nos era necessário enfrentar o retorno, sempre mais lento, de volta ao estúdio. Era sempre naquele estado modorrento que me aparecia um sujeito ou uma dondoca, do nada, e, ao cruzar comigo na calçada, como um rebatedor de beisebol, saía em disparada, se posicionava em distância segura e então começava gritar os costumeiros impropérios de sempre: "Fascista! Golpista!"

Certo dia estávamos eu e Rê a apreciar um delicioso churrasco num restaurante de nossa predileção na Vila Madalena quando um sujeito que almoçava com a família ao lado de nossa mesa pediu a conta, deu tchauzinho para o garçom, recolheu seus filhos de tenra idade (que já começavam a dar sinais nítidos de irritação) e passou pela nossa mesa sem mostrar nenhum sinal de desagrado, reprovação ou agressividade. Enfim, até segunda ordem, uma família normalíssima, corriqueira, aparentemente inofensiva.

Pois esse chefe de família, momentos antes cordato, bonachão, diligente, pacato e vigilante com sua prole, ao alcançar o outro lado da calçada, já inserido em sua caminhonete, com a gorjeta já quitada ao manobrista, foi acometido por um possante arroubo de cólera e, colocando a cabeça para fora da janela, possesso, a babar fisicamente no vidro escancarado, olhos rútilos em minha direção, rodopiando o punho cerrado para fora do carro numa frenética cornucópia aérea, como se fosse um *crooner* de banda de heavy metal, provavelmente devido à excitação do momento, começou a gritar, num diapasão agudíssimo: "Fascista! Golpista!"

Os pneus também berraram em derrapada febril e estática, num backing vocal bizarro acompanhando a gritaria do gajo, que, sem transição temporal, me sapecou uma arrancada e desapareceu nas profundezas da Vila Madalena.

O que mais me fascina nesse comportamento elusivo praticado por tantas pessoas, dos mais variados sexos, faixas etárias e estratos sociais, é sua recorrência a grandes distâncias, como forma adequada e segura de proferir seus impropérios.

Jamais tropecei num valentão que usasse da proximidade física para ser mais contundente, e, por favor, não interpretem isso como uma reclamação ou desafio! Que prossigam em seu processo de vitupério a distância!

As reações ao lançamento do livro propriamente dito (vejam só, esse capítulo consumiu reações a um disco que nem sequer estava gravado ainda), o lançamento do videoclipe de "Seda" remixada e remasterizada, entre outros assuntos, trataremos no próximo e não menos eletrizante capítulo.

Capítulo 19

2017 | A seita é a receita

Caetano pedófilo! Pedófilo?

Já vinha notando com alguma preocupação alterações no comportamento de Olavo de Carvalho desde que deixamos os nossos *hangouts* de lado. Era inegável a transformação. Durante todo o período daqueles *hangouts*, verificávamos um Olavo engraçado, mais dócil, mesmo sendo incisivo, mais flexível e permeável a ideias dos outros, afetuoso, mesmo cruel. Portanto, para quem travou um contato bastante aprofundado durante aqueles anos de debates, todos aqueles novos e alarmantes indícios nos levavam a crer que assumira, desde então, um anti-Olavo. Ou foi abduzido por um ET de Varginha ou um anãozinho mefistofélico sequestrou-lhe as polainas, as calças, os suspensórios, o colete, a boina, os óculos, a tosse, o cachimbo e saiu por aí a babar fisicamente nos microfones em seu nome.

A outra hipótese é mais sombria, por ser exatamente seu oposto: Olavo sempre teria sido essa criatura faminta e delirante, ávida por subtrair a realidade dos fatos, exilado perpetuamente de qualquer percepção poética, de uma pedestrice rastejante, quando uma fada madrinha resolveu habitá-lo, mas num intervalo curto de tempo. Não conseguindo conviver com a avidez frêmita desse hipotético Olavo, voou de sua alma, deixando-o desnudado de bondade, exposto à sua dolorosa essência: oco, raso, ralo, estreito e... plano.

Eu gostaria de acreditar no anti-Olavo, num Olavo boníssimo possuído por um peralta e malévolo anãozinho de Velázquez. Entretanto, se excluirmos esses fetiches emocionais, a ordem do processo obsidiatório de sua alma não afeta o produto lamentável em que sua essência atua na vida.

Passou-se o tempo e, em vez de receber notícias de seu novo e esperado livro, flagramos consternados um Olavo envolvido em programas típicos daquela direita vulgar, pilantra, aplainada, desprovida de charme ou *sex appeal*.

Como aquilo podia ter acontecido após tantos debates, que tipo de impermeabilidade possuía aquela criatura para, não mais que de repente, reengatar uma marcha a ré fulminante e se contentar com um papel bizarro de ser o condutor e o corrimão de uma plêiade de idiotas publicamente incontestáveis?

Nossas advertências eram categóricas sobre o perigo de haver uma tomada de poder dessa oposição obtusa e retrógrada, seguida de manifestações desastrosas de inabilidade política, de repetições catastróficas dos piores erros que a tal direita houvera cometido no transcorrer de décadas, tornado vãos os alertas vigorosos sobre a sombra do neomacarthismo a pairar com sua grotesca fúria anticomunista.

Pelo visto, de nada adiantou verificar as derrotas homéricas na agenda de costumes da direita na revolução cultural e comportamental dos anos 1960, o retumbante fracasso das ditaduras militares no Cone Sul, jogando por um longo período essa direita para escanteio na história. E o nosso Olavo saltava de seu universo de papel, cujo acesso era para raros, para um anti-Olavo das multidões, um anti-Olavo pop e brega... muito brega.

Portanto, se nós constatamos que a esquerda não aprende com seus erros, o mesmo acontece com a direita, com o agravante do fato de que a direita, tendo sérias intenções de retomada do poder, precisaria adotar o imperativo de radical mudança da própria conduta. Entretanto, o que assistíamos era a esse segmento reaparecer com nostalgias dos mesmos recalques e desinteligências célebres.

Pois bem, com toda essa carga de responsabilidades e de alertas, o anti-Olavo ressurgiu em programas na internet, fazendo coro com figuras das mais esdrúxulas e repudiáveis, onde só conseguia reinar o presunçoso, o incapaz, o medíocre e suas lorotas conspiratórias de araque...

E, justamente nesses últimos pares de anos, em meio a essas eclosões sectárias, houve uma súbita desencavada de um nome obscuro da política brasileira, direto ao encontro dessa direita irascível e cafona: Jair Messias Bolsonaro, que começou a ter seu nome ventilado por esse exato segmento como futuro candidato à Presidência.

E, por uma curiosa coincidência, essas primeiras aparições de Bolsonaro aconteceram justamente em *hangouts* com o Olavo e seus pupilos. Portanto, não haveria de ser nenhuma coincidência cósmica que esse movimento viria, em muito pouco tempo, a ser conhecido como "Bololavismo".

Na esteira de ações pouco inteligentes e autodestrutivas, ocorreu uma daquelas de cair o queixo, orquestrada por essa turma, com a meta de atacar o Caetano Veloso, levantando uma *hashtag* horripilante: #CaetanoPedófilo.

Ora bolotas, todo mundo sabe que Caetano Veloso é alvo de inúmeras e severas críticas de minha parte e, por isso mesmo, me insurgi com indignação e perplexidade diante de semelhante cafajestice.

Esses caras não percebem que, para se brigar em qualquer guerra, é vital guardar o mínimo de respeito por seu adversário, tanto pelo lado moral da coisa como também pelo lado estratégico?

Diante de inúmeros fatos ocorridos em minha vida, é inevitável concluir que é vedada qualquer percepção ou prática dessa conduta ao brasileiro em geral.

Querer achincalhar o oponente com golpes baixos e ataques covardes a alvos da vida pessoal desse oponente, numa ação desviada do foco original da contenda, é um ato imbecil e covarde.

Querer macular a história de um sujeito por arestas que nunca foram realmente a causa de algum dano perpetrado por ele é baixo e burro.

É aquela conversa da disparidade de julgamentos de atos com a ótica extemporânea do anacronismo.

Como nos explicaria com clareza Laurentino Gomes em seu primeiro e brilhante livro da trilogia *Escravidão*, sobre esses julgamentos anacrônicos: como querer enquadrar Júlio César como sendo de esquerda ou direita, num tempo em que não haviam inventado esse conceito? Como classificar o uso corriqueiro da palmatória ou o castigo de ajoelhar no arroz, em tempos passados, pelos conceitos atuais? Como responsabilizar descendentes de alguém que impingiu algum mal a outrem em outras eras?

Daqui a alguns anos provavelmente será repulsivo imaginar que as pessoas de outras eras comiam bacon, ou carne em geral.

Se você ler as crônicas de Nelson Rodrigues dos anos 1950/1960, elas estão repletas de personagens, marmanjos cinquentenários, obesos e suarentos, a ter relações com garotas de 14, 15 anos.

Nos anos 1970, jactar-se de contrair doenças venéreas soava como um triunfo olímpico de atleta sexual a ostentar suas conquistas pelo número de Benzetacis tomadas, e quem confessasse o hábito de usar camisinha era defenestrado e humilhado perante a turma.

Cheirar cocaína nos anos 1980 era coisa que todo mundo fazia e se envaidecia. Era socialmente aceito.

Era realce pra cá, purpurina pra lá, brizola para uns, caspa do capeta para outros, mas o fato é que, desde o contínuo da repartição pública, passando pelo office boy, almoxarifes, empresários, padeiros, industriais, bailarinas de dança do ventre, porteiros de prédio, plantonistas, estagiários, engenheiros, médicos, políticos, especuladores de Bolsa de Valores até músicos, conservavam o hábito social de consumir cocaína em doses industriais, sendo pretexto de jactância e envaidecimento.

Hoje não mais. Não pega bem.

Eu mesmo, em plenos anos 1980, namorei minha prima de 15 anos, tendo, ainda por cima, a ensinado a nadar, trocado suas fraldas e contado historinhas de bruxas quando ela tinha seis meses de idade. E acabou se tornando mãe de minha filha.

Na época, toda a imprensa noticiava com um misto de espanto e de admiração. Por quê? Porque o paradigma daquela época era outro. Não só era tolerável, mas também digno de aplausos.

Portanto, acusar e achincalhar alguém que teve relações sexuais consensuais com uma menina que já havia menstruado, naqueles idos dos anos 1970/1980, é ato de pura canalhice.

Canalhice revestida pela pátina da obtusidade cínica do falso moralismo.

Algo característico e constrangedor, saído da mesma seita obscurantista dos asseclas do anti-Olavo, de que "a masturbação provoca queda de QI". Seria uma declaração dessa natureza uma autocrítica deslocada?

Sim! Em pleno século XXI, uma anta dessas vem a público afirmar, a plenos pulmões, que, se você por acaso partir para uma maratona de bronha, acabará em muito pouco tempo tendo dificuldades de acertar um sorvete na própria testa!

O anãozinho da subtração

E era esse o diapasão. Diapasão imposto por esse anãozinho malvado que surrupiara as galochas, o pigarro e as ceroulas do nosso Olavo, que passou a atuar e agir como seu hóspede: o Olavinho Noves Fora, Anãozinho da Subtração. E eu explico seu perfil.

Há uma sanha, um afã, um *drive* dessa entidade (o tal anãozinho) que tende a subtrair tudo e todos, numa sofreguidão insaciável e delirante de exigir um universo diminuto e aplainado ao seu redor: e é por isso que assistimos pasmos a esse anãozinho perverso subtrair sem dó nem piedade os benefícios da vacina, a nacionalidade do Barack Obama, a esfericidade da Terra, o aquecimento global, a autoridade científica do Newton, do Einstein, do Carl Sagan, do Grace Tyson, entre tantos outros. Recentemente, subtraiu dos Beatles a autoria de suas músicas.

E tudo isso embandeirando uma delirante "guerra cultural" onde o retrocesso, o obscurantismo, o anti-intelectualismo e uma legião de incapacitados artísticos e científicos se refugiam.

Essa fúria em retirar méritos e inventar deméritos se tornou a tônica de ação de todo o entorno desse anãozinho pérfido que impõe a seus discípulos essa mesma conduta sem opções para desvios.

E foi precisamente na mesma época dessa campanha difamatória contra Caetano Veloso que, por ironia do destino, saía em turnê ao lado de seus filhos, com produção de sua mulher, que esses sectários iniciaram a investida de subtrair a reputação de Caetano e sua família.

Perplexo com a ação asquerosa, corri às redes. E qual a reação desse segmento de direita que pipocava nas redes em relação à minha defesa? "Amarelou, Lobão! Puxa-saco de Caetano! Vendido!"

Colhi alguns dos meus posts de então e escolhi esses aqui para ilustrar o que estou dizendo (me comunico no Tuíter exclusivamente em CAPS LOCK e com uma ocorrência astronômica de erros de digitação... Por quê? Ainda não parei para desvendar esse mistério, mas deve ser por estar sempre fazendo outra coisa enquanto digito e, assim sendo, manterei os erros de digitação para ser mais fiel à dramaticidade e à urgência das minhas intervenções):

ME TIRA DESSA, MEU AMIGO, MINHA BRIGA COM CAETANO É SÉRIA E NÃO ME VALERIA DE UMA SUJEIRADA DESSAS, POR SINAL, PEÇO A TODOS QUE TIREM MEU NOME EM QUALQUER TIPO DE MENÇÃO REFERENTE AO CAETANO. EU NÃO APÓIO ESSA AÇÃO. GRATO.

ACHO ESSA ESFOLAÇÃO NO CAETANO DE UM MORALISMO HISTÉRICO VERGONHOSO. ESSA PARADA COM O CAETANO É UMA COISA QUE ME DEIXA ABSOLUTAMENTE CONSTRANGIDO E ENVERGONHADAO.

E por aí vai.

E essa seria minha primeira experiência de real atrito com um segmento que até então ainda se comportava relativamente coeso contra um inimigo comum que era o PT.

Mal sabia eu que era apenas o começo de uma briga muito mais acirrada e pior, com adversários que conseguiriam ser mais beligerantes, truculentos e estúpidos que os MAVs do PT.

E qual foi a moral da história? Os líderes da horrorosa campanha difamatória foram devidamente processados, uns mentindo, evaporando da TL do Tuíter, outros alegando páginas falsas, dando início, assim, à definição e ao desenvolvimento dessa imagem repulsiva que essa tal "nova direita" teria como marca registrada.[1]

Lançamento do videoclipe de "Seda" remixada e remasterizada

Nesse meio-tempo, passando períodos de mais de dez horas por dia envolto com as gravações no estúdio com Os Eremitas, dividindo o que restava da minha agenda com o lançamento do livro em todo o Brasil, que evidentemente exigia minha presença em várias cidades dos mais variados estados, ainda encontrei tempo (talvez devido ao poderoso impacto emocional de escrever o livro e revisitar meu amigo) de remixar e remasterizar uma canção pela qual tenho um grande xodó, minha parceria póstuma com o Cazuza: "Seda".

Conseguindo produzir uma faixa com mais qualidade e clareza de som que a versão original, me enchi de alegria e orgulho, uma vez que a versão original, produzida em 2005, junto com meu querido amigo Carlos Trilha, é excelente, mesmo para os dias de hoje.

E, para celebrar esse upgrade, pensei em lançá-la com um videoclipe, algo não muito corriqueiro em minha carreira.

Para isso, deveria recorrer mais uma vez ao meu amigo e sobrinho João Puig, morando em Londres há uns dois anos, para dirigir e produzir o clipe.

Para meu orgulho e alegria, Puigaço me apronta um clipe em que ele atua, dirige e revela.

Sim! Ele filmou com película e o resultado foi um produto primoroso, uma verdadeira obra de arte.[2]

Começam a pipocar as reações ao lançamento do *Guia politicamente incorreto dos anos 80 pelo rock*

Como não poderia deixar de ser, a reação da imprensa ao lançamento do *Guia* prosseguia com aquele diapasão de tiete ofendida (só para esclarecer: quando recorro ao termo "tiete ofendida" não é, em absoluto, no sentido de serem minhas tietes; são tietes de outros ofendidos por mim).

E tome aquela ocorrência tediosa de repetição de padrões e de cacoetes. Assim, logo nas primeiras horas de lançamento do livro, e, portanto, tempo insuficiente para quem quer que seja poder ter algum lampejo honesto sobre o que foi escrito, um certo jornalista da área musical se precipitou numa postagem no Tuíter e proferiu: "Os únicos amigos de Lobão são artistas suficientemente mortos pra não vir à público (*sic*) para desmenti-lo."

Peraí... Quer dizer que o repórter acaba de "matar" gente como Clemente, Nasi, Miguel Barella, Billy Forghieri, Alice Pink Pank, Juba, Evandro Mesquita e Roger Moreira? E teria tido tempo hábil o jornalista especializado para ler ao menos a orelha do livro?

Desmentir o quê?

O que haveria para me desmentir o Cazuza sobre as histórias das nossas parcerias? O que isso afetaria os fatos?

O que haveria Júlio Barroso, se vivo fosse, para me desmentir, tendo como testemunhas os integrantes da mesma formação em que fiz parte da Gang 90. Não seriam, por acaso, depoimentos de Miguel Barella, William Forghieri, Herman Torres e Alice Pink Pank relevantes o suficiente? Que alteração faria nesses fabulosos e maravilhosos relatos, se fossem por acaso contestados, em datas, discos e fatos que compõem uma história clara e irrefutável?

O que haveria para se desmentir na minha tardia aproximação de Renato Russo, quando nós temos como produto dela uma entrevista incrível de mais de oito páginas na revista *Marie Claire*?

Qual o sentido dessa obsessão? Eu aposto na hipótese de que, num país como o nosso, com uma autoimagem coletiva tão espessamente adulterada, fossilizada e delirante, qualquer marola na direção oposta é considerada uma séria ameaça à sobrevivência dessa mentirona, tão apegada e diligentemente preservada elas camadas mais "cultas" da sociedade.

Para tentar entender esse frêmito em descaracterizar o que digo ou faço, temos como objeto de estudo essa singela crítica de outro crítico musical, em que faremos uma pequena imersão, cuja manchete é esta aqui: "Lobão destila amores, ódios e erros em guia raso sobre rock dos anos 80",[3] afirma, emendando que eu me definiria como *outsider* daquela geração, se dando ao luxo de encobrir o fato determinante de que, antes de qualquer coisa, me declarei como um dos sócios fundadores daquela geração.

Colocar-me como um *outsider*, nesse contexto, seria como dizer assim: "Olha, gente, esse mané aí nunca foi dessa geração de verdade e, portanto, não tem moral nenhuma pra falar dela, viu?"

Só me vejo como um *outsider* a partir da segunda metade da década, após toda a primeira etapa seminal de gestação e eclosão do movimento.

A questão de me permitir escrever um livro "inteiramente pessoal" deriva do fato de minha vida se amalgamar de forma irrevogável com toda aquela década, protagonizando grande parte de seus acontecimentos.

Portanto, há uma grande diferença entre o relato e a simbiose de um autor que também é ator protagonista da história e os de alguém que porventura venha a abordar o mesmo assunto de uma maneira mais jornalística, mais distante, mais acadêmica, o que, definitivamente, não é meu caso.

Minha alegação em ser um *outsider* é devido ao meu isolamento quase integral após a morte de Júlio Barroso, pela minha querela com o Herbert Vianna, tendo como último esteio a companhia e parceria do Cazuza.

O fato de ter mais afinidade com a estética dos anos 1970 só enriqueceu meu vocabulário musical, jamais me transformou num *outsider*.

Medir a densidade de um texto como o do *Guia* pela ocorrência ou não de "farpas" a amigos e desafetos está mais para um cacoete primário de quem se debruçou a maior parte de sua vida profissional em fofocas e adulações, sem jamais ter demonstrado um mínimo preparo ou embasamento musical no transcorrer de sua carreira, sempre opinando parcialmente, refém de preferências pessoais, seja como enlevo de tiete inebriada, seja sob arroubos de orfandade, beicinhos e desamparo quando submetido a uma opinião que machuque seu amor por seus heróis e suas heroínas de cabeceira.

Quanto a apontar que o erro mais grosseiro do livro é a data de lançamento do *The Dark Side of the Moon*, do Pink Floyd, é um daqueles rasgos que só ocorrem na fronteira entre a idiotia e a má-fé.

O foco, o interessante, o importante em ter relatado o episódio do lançamento do álbum do Pink Floyd foi:

a) Mostrar a grande diferença entre minha formação musical e a da maioria dos meus colegas (minha formação setentista com Led Zeppelin, Cactus, Hendrix, Humble Pie, Mountain, Slade, T. Rex, em contrapartida às influências oitentistas dos meus colegas de geração, com The Smiths, Joy Division, Killing Joke, The Police, U2).

b) Ter sido um dos primeiros brasileiros a ter o disco em mãos, pois um amigo do meu pai saiu da Inglaterra na madrugada de seu lançamento, e, portanto, é evidente que não precisei recorrer a nenhuma fonte de pesquisa para saber sobre a data de lançamento. Sendo assim, trocar a data de 1973 para 1972 não faz a menor diferença no teor, na peculiaridade e na veracidade da história, tratando-se de um óbvio e corriqueiro erro.

c) Meu fascínio pela riqueza de acabamento da capa, a arte gráfica e a produção do disco entrelaçado por um paradoxal sentimento de luto ao perder, naquele instante de fascinação, todo o meu interesse pelas obras vindouras da banda, por perceber no *Dark Side* um anti-Pink Floyd, um Pink Floyd póstumo.

d) Por ser um ouvinte de primeira hora do Pink Floyd, acompanhando o grupo em tempo real desde 1967, mostrei como seus primeiros álbuns, *The Piper at the Gates of Dawn*, *A Saucerful of Secrets*, *Ummagumma*, *Meddle*, *Atom Heart Mother*, *More* e *Obscured by Clouds*, me influenciaram e por que *Dark Side of the Moon* – que geralmente é o disco do grupo que muita gente começa a ouvir – se tornou o último álbum a me provocar interesse pela banda.

Meu intento em frisar todos esses detalhes reside em uma singela explicação: sou músico e meu mundo criativo necessita ser alimentado com minhas influências musicais, literárias, científicas, banalidades, sonhos, tudo.

Tudo.

Esse é o foco que algum crítico de verdade se debruçaria, e não sobre um erro tão corriqueiro, como troca de datas.

Isso é coisa de fofoqueiro.

Quanto ao fato de se ofender comigo por achar o sambinha do Chico "Vai passar" algo mequetrefe, *sorry*, é uma opinião toda minha e o mórbido cacoete pavloviano em defender o Chico, problema de quem se submete.

Se indignar por eu ter apontado na *Ópera do malandro* um sintoma evidente da virgindade existencial do Chico enquanto um idealizador *kitsch* e ingênuo da "malandragem" carioca é estar cego para um compositor que, em toda sua vida, veio evidenciando a pobreza cenográfica, as sacadas improváveis, os coretos fenecidos, as balzaquianas burguesas carentes. Portanto, nada mais cirúrgico e adequado do que apontar o arquétipo de malandro zé carióquico de Walt Disney, esse malandro inverossímil, folclórico, de camisa listrada, chapéu-panamá, galã de bordel e engendrador de pequenos trambiques numa Lapa defunta, pretérita, cadavérica.

Esse meu esforço arqueológico em mexer nessas bugigangas da velhice alheia (sim, o Chico é um eterno velho alheio, velho do que não viveu, velho do que imagina ser e não é) tem um sentido bem claro: fazer um contraste entre esse atavismo babaca daquilo que jamais ele vivenciou e a atividade frenética nessa mesma Lapa, real, vívida, possante, do rock dos anos 1980, de uma nova geração a repovoar uma nova Lapa, resgatando-lhe a vida, devolvendo-lhe a razão de existir. Não mais seria através da malandragem fictícia e da vacância ocupacional de contos de fadas, mas, sim, do trabalho em escrever a própria história, de se inventar com suor e garra, carregando amplificador e instrumento nas costas, fundando seus próprios palcos, como o Circo Voador, dando assim uma nova, pujante e real função cultural à Lapa.

Bem, lamento reafirmar, mas este é o fulcro do meu relato: uma realidade gritante, alarmante e incontestável.

Mas, veja bem, isso não o impede de prosseguir admirando a obra. Apenas saiba exatamente do que se trata.

E tente ficar menos ofendido da próxima vez. Quanto a apontar erros na autoria de "Muito romântico", o escriba incorre novamente em um desvio de foco.

A informação relevante do meu relato é: iniciou-se, no fim dos anos 1960 um profundo intercâmbio de canções, parcerias e participações entre os caciques da MPB. No caso entre Roberto Carlos e Caetano Veloso, há canções como "Debaixo dos caracóis dos seus cabelos", "Muito romântico" e "Como dois e dois".

A história estará repleta dessas participações especiais de Milton com Chico, com Gil e Chico, Chico com Caetano etc.

Essa é a informação que ajuda de forma translúcida a formar o mosaico de toda uma estrutura de poder de um novo período da música popular brasileira, em que a Tropicália, a MPB mais tradicional, o Milton representando *à la* mineira o Clube da Esquina e o que restou da Jovem Guarda se juntaram (organizadamente ou não), formando, assim, um coronelato que vigora até os dias de hoje.

Esse é o foco. Essa é a grande riqueza da informação embutida nesse engendramento de fatos.

Portanto, se "Muito romântico" é de Roberto e Erasmo, e não de Caetano Veloso, isso pouco importa, pois não influencia em absolutamente nada a formação desse núcleo de poder. O verdadeiro foco da investigação.

O fato de mostrar a atuação dos coronéis da MPB é de absoluta importância para a compreensão do drama e da pressão que nossa geração viveu.

Mesmo porque esse coronelato vigora incólume até os dias de hoje.

Quem se presta a enxergar, num esclarecimento desses fatos, um ato boçal e primário como "vociferar", mediante uma abordagem desta seriedade, ou é ruim da cabeça ou se trata de um refém emocional de suas preferências, tiete ofendida, órfã de suas erodidas convicções e viúva de sua defunta honestidade intelectual.

Portanto, além de cafona, estrábica, desonesta e provinciana, a vossa ofensa é uma espécie de ato reflexo, típico de internos desse Carandiru intelectual quando exibem, choramingando a resmungar, sua subserviente adulação.

Para coroar a "análise" do livro, nosso escriba saiu em defesa do seu amigo, outro jornalista especializado na área musical, e soltou a seguinte pérola: "Para quem leu *Dias de luta – o rock e o Brasil dos anos 80* (2002), livro fundamental em que o jornalista 'fulano de tal' analisa a ascensão, o apogeu e a queda dos roqueiros da década, o *Guia politicamente incorreto dos anos 80 pelo rock* de Lobão soa frívolo almanaque de opiniões, muitas meramente pessoais e sem nexo."

A conclusão a que chegamos é que um cenário musical que se apoie e se guie por uma crítica especializada desse quilate não tem muitas saídas além de se render a esse estado de oligofrenia musical em que nos encontramos. Afinal de contas, nossa devotada tiete órfã se esqueceu que ele e outros de seu nicho subscrevem com bovina resignação, indulgência e até mesmo entusiasmo a grande maioria das porcarias impingidas por essa miserável indústria cultural da qual eles são um de seus arautos e assalariados.[4]

Enfim, 60 anos!

Chegou outubro e nós prosseguíamos impávidos na realização do disco, que se arrastava por motivos técnicos e burocráticos (algumas gravadoras ainda não haviam liberado algumas faixas). Entretanto, esses problemas não afetaram nossa empolgação com os resultados de nossos esforços.

Durante as gravações, contamos com as participações especialíssimas do meu *guitar hero* predileto, Luiz Carlini, que gravou as guitarras furiosas de "Eu não matei Joana D'Arc", em duo com Christian Dias.

Tivemos também a importante participação de Claudio Tognolli, que, durante um de nossos celebérrimos "armoços", veio me convencer a gravar o hit "Leve desespero".

Saímos de uma deliciosa cantina italiana, após traçar um ossobucco regado a muito vinho, direto para meu estúdio caseiro, onde ele colocou sua elaborada introdução de guitarras na faixa do Capital Inicial, repletas de efeitos psicodélicos, sua marca registrada.

Outra visita impoluta foi a de Roger Moreira, que se prontificou a participar da regravação de "Nós vamos invadir sua praia", sendo que, desta feita, ele fazendo os backing vocals e imitando carioca de beira de praia com aquele sotaque bem chiado, uma vez que eu encarnara o paulista bokomoko na versão original.

Quase que nos desmontamos de tanto rir, transformando, assim, a sessão de gravação na mais hilariante de todo o projeto.

Vivenciei emoções abissais ao cantar "O tempo não para" e "Azul e amarelo", morrendo de saudade do Cazuza, assim também como as canções do Renato Russo, "Geração Coca-Cola" e "Eu sei", ou "Primeiros erros", do Kiko Zambianchi.

Fizemos um arranjo meio Clube da Esquina para "Somos quem podemos ser", dos Engenheiros do Hawaii, e o resultado foi uma sonoridade mineira para vestir uma canção de um autor tão gaúcho como o Humberto Gessinger. Ficou linda.

Mas um dos momentos mais profundos, dilacerantes e redentores dessas sessões foram as gravações de "Quase um segundo" e "Lanterna dos afogados", quando eu verdadeiramente me encontrei de corpo e alma com a figura e a essência de Herbert Vianna.

Recordo-me que cheguei uma certa manhã bem antes de todos, pois acordara de madrugada para tirar as harmonias de "Quase um segundo". Já foi uma experiência reveladora perscrutar a alma de um indivíduo através de seu raciocínio musical e, em se tratando do Herbert, com toda a história de vida que tenho com ele, foi um exercício de humildade constatar nas harmonias lindas daquela canção tão profunda seu real talento, talento esse que duvidei da existência por tantos anos.

Com a parte do violão devidamente assimilada, cheguei ao estúdio sozinho. O estúdio todo escuro, eu na enorme sala amadeirada de pé-direito alto e o Ronaldão na técnica pilotando a mesa, iniciamos uma jornada de introspecção e de uma quase mediúnica simbiose com aquela música.

Gravei os dois violões em praticamente um *take*, sendo que um deles foi puro improviso (o solo).

Em seguida, parti para gravar a voz, pensando em tudo o que se passou entre a gente (eu e Herbert), nossa geração, nossos sonhos, nossas derrotas, nossas conquistas, nossos amores e desamores, e, nessa atmosfera onírica, saiu a interpretação de "Quase um segundo", na qual, quase que por espiritismo, tentei emular os trejeitos do Herbert de cantar.

Gravar a voz de "Lanterna dos afogados" me soou como o sussurro de um náufrago, um náufrago que morava lá no fundo da minha alma, com voz de Herbert: "Uma noite longa, pruma vida curta, mas já não me importa, basta poder te ajudar".

Terminei a sessão aos prantos, extraindo de mim todas as lágrimas que tinha à disposição, no escuro daquela sala.

Quero ratificar aqui minha gratidão e meu amor por todos aqueles artistas que homenageamos nesse disco feito com tanto carinho e dedicação. Assim também àqueles que não tivemos a devida habilidade ou capacidade em reproduzir com alguma originalidade tantas outras maravilhosas canções que ficaram de fora.

Meu amor eterno a todos eles.

E foi nesse clima de fortes emoções e rodeado de meus queridos amigos que me encontrei com meus 60 anos.

60 anos mirabolantes... 60 anos a mil.

Como poder reclamar de uma vida assim?

No início de novembro demos por encerradas as gravações e a mixagem do que será meu primeiro álbum duplo, tão ansiado no decorrer de toda minha carreira. Só nos restava ouvi-lo, uma vez que, durante toda a realização das gravações, não conseguimos escutar nenhum material em outro lugar que não no próprio estúdio, por motivos operacionais. Segundo Ronaldão, o hardware do computador era muito antigo e levaria uma eternidade para fazer o backup do repertório em uma mídia para que pudéssemos ouvir em casa. Situação que nos levaria a enfrentar sérios problemas adiante.

Capítulo 20

2017 | Até tu, Nelsinho?

Eis que rompe impávido o mês de novembro, envolto em muitas viagens para noites de autógrafos, festas de lançamento do livro, a finalização da mixagem e masterização do disco e a constatação de ter que refazê-la por completo, quando um amigo meu me avisa que o *Jornal da Globo* dedicara um singelo espaço em minha homenagem por conta dos meus 60 anos. "Mas isso não foi em outubro?", perguntei, desconfiado. "Só sei que está emocionante a homenagem, viu? Vai lá dar uma conferida!", me replicou o amigo entusiasmado.

E lá fui eu dar uma conferida, escaldadíssimo após todos esses anos, mas, num laivo de boa vontade, uma luz me varou o coração, refleti: "Porra, João Luiz, deixa de ser paranoico e aceita o amor sincero de uma homenagem! Vai que é verdade..."

E, nesse clima poliânico, abri o link da matéria e, de cara, caí das nuvens com uma introdução quase de anúncio funerário da nossa querida Renata Lo Prete: "Lobão completou 60 anos em silêncio. Se isolou das polêmicas." Só faltou emendar: "O féretro partirá da capela da Real Grandeza rumo ao cemitério São João Batista."

A sensação que tive foi a de ser enterrado vivo. Como assim? Festejar meu aniversário em novembro, um mês depois da data, com aquela cara de enterro, afirmando que estou parado, afastado de tudo e até da música? Pode uma coisa dessas?

E meu querido Nelsinho, meu tutor no meu primeiro emprego como músico profissional, que me acompanhou de perto durante toda a carreira, se prestar a participar daquela encenação tétrica?

Eis que veio a abordagem de Nelsinho, sempre me engavetando no necrotério de um pretérito mais que imperfeito, ignorando por completo toda minha obra mais recente, enterrando meus anos de música independente e meus melhores trabalhos para dar luz a um passado que há muito já não fazia jus de ser focado diante de todo o restante da minha trajetória inexplicavelmente ignorada.

Para piorar a coisa, Nelsinho começou a me dar conselhos com aquele jeitinho fofo dele, do tipo: "Lobão, foca mais na música e deixa a política de lado." Como se eu estivesse enclausurado num limbo de inércia. Como se não estivesse vivenciando um ano de inúmeras realizações, inclusive gravando uma música cuja letra ele fez ("Certas coisas", em parceria com Lulu Santos). Ele fatalmente sabia da existência do projeto, pois obrigatoriamente deveria ter assinado a sua liberação.

E, com o coração carregado de tristeza, fui obrigado a escrever uma carta de agradecimento ao Nelsinho, que replico aqui:

Carta aberta de agradecimento ao *Jornal da Globo* e a Nelson Motta pelos meus 60 anos

Acordei repleto de minha costumeira e insuportável felicidade nessa gloriosa manhã de sábado e eis que me deparo com um rebuliço nas redes sociais em torno de um surpreendente acontecimento: o *Jornal da Globo* resolveu me homenagear pelos meus 60 anos! Que legal! Que emoção!

E como não poderia deixar de ser, me senti na obrigação de dar uma conferida na tal fofura que a emissora me concedera.

Logo de início, a manchete introdutória me provoca uma certa curiosidade em saber por que cargas-d'água (já que o papo era me homenagear) não passou pela cabeça de ninguém da edição me dar uma consultadinha sobre minha movimentada realidade?

Sim! Pois, infelizmente, o *Jornal* não foi capaz de escrutinar coisas realmente protuberantes e de verdadeiro interesse jornalístico de minha atual (e muito pouco silenciosa) rotina, como, por exemplo, o fato de estar produzindo uma empreitada épica: um disco duplo (*Antologia politicamente incorreta dos anos 80 pelo rock*) com 24 faixas de interpretações de canções imorredouras dos anos 1980. Projeto esse complementar ao meu quarto livro recém-lançado (*Guia politicamente incorreto dos anos 80 pelo rock*), produto fonográfico que além de sua evidente relevância musical e histórica tem também o fato de ser um empreendimento realizado através de *crowdfunding* (uma campanha de financiamento privado), que é uma alternativa decente, criativa e independente de produzir e viabilizar música no Brasil sem o parasitismo nefasto da Lei Rouanet e coisas do gênero.

E isso é política cultural que deveria ter seu raio de visão ampliado e, por isso mesmo, deveria ser algo... noticiável por si só...

Mas a sensação que me deu ao assistir à nossa querida e admirada Renata Lo Prete com aquela cara de enterro anunciar meu aniversário era de testemunhar uma espécie de necrológio.

"Lobão fez 60 anos em silêncio. Se isolou das polêmicas e ficou distante até da música." Essa Globo é fofa mesmo, não é verdade? Então o raciocínio deles deve ser este: Lobão não frequenta os programas da emissora, não toca nas novelas da emissora, portanto Lobão não existe. Seria algo assim?

É o que tudo indica. Chega a ser cômico, um conglomerado de comunicação monumental que prima em tentar me calar não me permitindo participar de sua programação, me proclamar "silente" por justamente não aparecer por lá!

Após alguns outros complementos de valor um tanto duvidosos, como "um dos mais controversos roqueiros do Brasil" etc. etc. Renata, envolvida naquela aura semifúnebre, passa a bola para meu muito querido Nelsinho Motta completar o serviço.

Todos nós sabemos que Nelsinho sempre foi um cara antenado com as novidades, os detalhes, o que esteve por trás ou por baixo da superfície do cenário musical brasileiro, assim como foi – e ainda é – um dos principais protagonistas da história da MPB, da Tropicália e do pop/rock – seja atuando como jornalista, seja como empreendedor, escritor ou compositor – e, por isso mesmo, muito me admira sua crônica sobre minha vida, apesar de muito fofa, estar repleta de omissões, erros, edições, reduções e precipitações.

Não sei bem se Nelsinho se apegou em demasia ao fato de já haver sido meu tutor perante o Juizado de Menores no início de minha carreira, mas é inegável que sua conduta persistente em me tratar como se eu ainda fosse aquele desprotegido infante de 16 anos que outrora ele acolhera incondicionalmente é um tanto extemporânea e fora de propósito nos dias de hoje.

Confesso que achei meio claustrofóbico me ver "enterrado" lá no fundo dos anos 1980 quando tenho produzido ultimamente tanta coisa muito melhor e mais importante, como se, logo eu, estivesse congelado naquela década.

E assim fazendo, Nelsinho também acabou por optar não mencionar que minha principal característica é ser um dos poucos artistas dos anos 1980 que cometeu a façanha de ter como parte mais importante de seu trabalho composta e produzida justamente após o término daquela década. E sozinho. Independente. Sem gravadora e sem parceria.

Ignorar discos como *Nostalgia da modernidade*, *Noite*, *A vida é doce*, *Canções dentro da noite escura*, entre outros (para não mencionar aquele que considero meu melhor disco, *O rigor e a misericórdia*, de 2016), soa, no mínimo, muito esquisito para alguém que se mostra com algum propósito sincero de me homenagear.

Quanto ao cacoete de me colocar como um rapaz excêntrico e amalucado, bem, isso já é uma mania de décadas da grande imprensa que teima em vão me reduzir.

E isso fica patente quando Nelsinho tenta desqualificar a veracidade dos fatos descritos no *Guia politicamente incorreto dos anos 80 pelo rock*, alegando que eu tenha desferido algumas "provocações juvenis" sobre Chico Buarque e Caetano Veloso quando todos sabemos se tratar de uma história digna de ao menos mais atenção, averiguação e seriedade do que uma mera redução simplória, leviana e desviante.

Como se fosse tarefa muito complexa qualquer observador mediano poder facilmente constatar haver algo de muito errado nesse cenário, onde nossos septuagenários coronéis nos concedem provas irrefutáveis de praticar aquilo que chamo no livro de totalitarismo cultural.

Nelsinho talvez não tenha se apercebido que ao tentar jogar panos quentes em episódios tão evidentes e graves lança também dúvidas insondáveis ao seu próprio depoimento, tendo ele a importância de sua participação definidora em todos esses últimos cinquenta anos.

Mas a cereja do bolo mesmo seria colocada com todo o carinho no final, vinda em forma de inofensiva e carinhosa admoestação paternal.

Nelsinho, do alto de seus setenta e tantos anos, com a cara mais deslavada do mundo, ergue os braços para a câmera e me aconselha após sorridente saudação: "Vida longa ao grande Lobo! E se possível, com mais música e menos política!"

Mais música e menos política?! Inevitável sentir uma profunda irritação com essa palhaçada cínica, Nelsinho!

Afinal de contas, eu sou um dos artistas que mais produzem música no Brasil na atualidade e um jornalista do seu calado ignorar esse fato me congelando indevidamente no passado é algo, no mínimo, muito grave.

E assim me surge aquela célebre pergunta que não quer calar: será que Nelsinho ousaria aconselhar com a mesma sem cerimônia ("mais música, menos política") gente como Caetano Veloso invadindo um terreno para tentar fazer show para o MTST?

Ou tentar convencer Chico Buarque de que escrever uma canção para a filha do Geisel poderia diminuí-lo enquanto compositor? Será que Nelsinho teria questionado Gilberto Gil com "mais música, menos política" quando assumiu o Ministério da Cultura? E o grupo de parasitas do Procure Saber/342 (que alberga dezenas de supostos grandes nomes da canção, da literatura, do teatro, da TV e do cinema), que vive se metendo em tudo que é assunto na vida pública brasileira em benefício próprio?

Aí falar de política pode? Seria isso mesmo?

Mas não. O conselho "mais música, menos política" parece cair como uma luva justo e exclusivamente para quem? Euzinho aqui!

Perceber tamanha preocupação da sua parte pelas minhas supostas declarações estapafúrdias e desconexas sobre política "que tanto divertem o público, mas me afastam da música", me deixa marejado de emoção, Nelsinho querido!

Fico consternado em perceber que você, como compositor de "Certas coisas", uma das 24 faixas do meu novo disco em parceria com Lulu Santos, não tivesse a mínima possibilidade de ignorar o fato quando realizou enquanto jornalista a matéria de ontem, dia 3 de novembro (pois todo autor tem que dar sua permissão para a gravação da composição no disco), e mesmo assim prosseguir em insólito silêncio a respeito.

E ainda tendo eu que ouvir daqui, justo de você, "mais música, menos política". Imagina só como me senti.

Portanto, para finalizar, meus caros amigos do *Jornal da Globo*/ Nelsinho Motta, espero que na próxima "homenagem" me concedam como presente o direito do contraditório e me convidem para dar meus pitacos, tá?

E, quem sabe... de quebra... tentem convencer os mandachuvas aí da emissora que bloquear a minha presença na programação não é só desonesto; é pouco inteligente. Assim vocês poderão, além de desfrutar a minha mesmerizante companhia, ter uma visão verdadeira do que eu realmente sou, faço e represento para a cultura, a música e a política no Brasil.

De qualquer forma, apesar de tantos "senões" da minha parte, desde já peço minhas apologias pela severa (contudo necessária) carraspana seguida de meus sinceros agradecimentos pela amorosa lembrança.

Um beijão para todos vocês!

Lobão.

“Vida bandida”, a 25ª faixa

Nesse ínterim, por mais outra ironia do destino, me aparece um pedido de liberação de uma canção minha e de Bernardo Vilhena para uma novela da Globo: “Vida bandida”. Apesar de não nutrir a menor simpatia em ceder o fonograma, acabei consentindo por consideração e carinho que tinha pelo meu querido Jorge Fernando.

Além disso, era um excelente pretexto para voltar a gravar em casa. Com minha possante bateria Premier, que mais parece uma ambulância do Samu, me esperando e com novos plug-ins para experimentar, pensei cá com meus botões: “Vou regravar ‘Vida bandida’ aqui em casa!”

E assim se sucedeu. Gravei todos os instrumentos com o intuito de não fazer muitas modificações em relação à original. Apenas retirei as intervenções cafonérrimas de alguns instrumentos, o timbre horroroso e a qualidade sórdida do som do disco de 1987. Fora isso, não via motivos para alterar a essência do arranjo original.

Muito pelo contrário, era uma excelente oportunidade para constatar sua singularidade de “heavy samba” que foi eclipsada pela produção na gravação que desafortunadamente a consagrou.

Eu sempre dizia para mim: o maior castigo que um artista pode ter é ser consagrado por uma canção que despreza por algum motivo. E como isso aconteceu na minha carreira...

No caso de “Vida bandida”, assim como a esmagadora maioria das minhas canções, o maior motivo de aflição ou repulsa era pela qualidade da gravação ou do arranjo, quase nunca pela qualidade inerente da música ou da letra.

Para meu espanto, o resultado sonoro ficou esplêndido. O som dos instrumentos, o novo solo de guitarra, a fidedignidade do arranjo original, tudo estava perfeito.

O único (e gravíssimo) problema que ocorreu foi quando me pus a comparar a sonoridade da recém-nascida versão de “Vida bandida” com... o disco recém-acabado!

Como aquilo poderia acontecer? Aquela diferença gritante de qualidade de som? Mas não gravamos e mixamos num estúdio de primeira linha? Como aquele som de fita cassete velha? Como poderia imaginar que uma gravação caseira pudesse sobrepujar de forma avassaladora uma produção num estúdio montado com equipamento milionário?

E a grana? A grana arrecadada para pagar aqueles meses todos de estúdio? E o compromisso de entregar o disco, os CDs? E a feitura dos vinis?

Estava às voltas com um problemão e, quando mostrei o material para averiguação técnica ao meu querido amigo e parceiro de produções, o Diovainne, ficou claro para nós que só restava uma saída: remixar tudo e refazer algumas músicas, e só nos restava um local: o meu estúdio.

Sendo assim, sem titubear, nos prontificamos a nos submeter a outra maratona insana e aprontar 25 fonogramas sob os padrões de qualidade por mim exigidos, afinal de contas, depois de criticar tanto o som dos discos dos anos 1980, aparecer com uma gravação pífia daquelas era algo que nem me passava pela cabeça. Haveríamos de virar o ano debruçados naquele material cheio de falhas, como cirurgiões plásticos diante de uma vítima de explosão de mina.

A novidade é que iria inserir "Vida bandida" no projeto em substituição à lacuna deixada por "Surfista calhorda".

Ao menos não daria mais chance para ser chamado de ladrão de hits outra vez.

Que venha 2018!

Capítulo 21

2018 | A greve dos caminhoneiros

Dona Lia

Em 2018 comemoramos nossos primeiros dez anos de moradia em São Paulo, cidade que escolhemos para chamar de lar.

E esses dez primeiros anos na cidade também coincidem com os melhores anos de nossas vidas.

Foi nesse período que pude desenvolver com ampla liberdade e espaço meus conhecimentos musicais e como produtor e engenheiro de som; que voltei a tocar bateria diariamente; aprendi a tocar outros instrumentos, como o baixo, a viola caipira ou o órgão, a desenvolver minhas habilidades como guitarrista e, principalmente, como compositor, cometendo, nesse período, o disco mais importante da minha carreira: *O rigor e a misericórdia.*

Foi também nesse período que me inventei como escritor, estando aqui arrematando meu quinto projeto literário, sem contar com nossa quietude do lar, a felicidade das gatinhas, o envolvimento da Regina com sua maior paixão, que é cuidar de idosos, um sonho que ela alimenta desde que nos conhecemos e vai se aperfeiçoando a cada dia, me fazendo ver como minha mulher é uma pessoa tão especial e tão importante na minha vida.

Foi também nesse espaço de tempo que essa distância geográfica entre o Rio e São Paulo me reaproximou da minha filha querida, me dando de presente um neto maravilhoso.

O que eu e Regina sempre lutamos para ter, um lar, nós conseguimos conquistar aqui em São Paulo, com nossa hortinha no quintal, o estúdio e o jardim com as árvores e os passarinhos (sabiás, pica-paus, beija-flores, maritacas), para delírio de Maria Bonita e Dalila.

E nesse universo tão particular, tão mágico, que veio se formando com o transcorrer do tempo e a energia do local e das pessoas, não poderia deixar de mencionar um outro importantíssimo elemento da nossa família que é a Lia.

Lia também está fazendo dez anos de convívio conosco e é uma espécie de entidade do lar. Mineira, cozinha como ninguém (o feijão da Lia! O feijão da Lia!), ama plantar e passa grande parte de seu tempo organizando os melhores lugares para semear futuros tomates, pimentões, couves, mamões, tomilho, erva-cidreira, alecrim, manjericão. E, junto com Regina (que, para meu espanto e fascinação, conseguiu não sei como uma minimacieira que já deu micromaçãs e uma minijabuticabeira que também nos brindou com microjabuticabas), passa horas a fio nesse idílico quintal com nossa romãzeira, pé de limão-rosa, duas pitangueiras (uma no quintal de trás, outra no da frente), junto com uma frondosa mangueira.

Lia ama os bichinhos e é um anjo da guarda com Maria Bonita e Dalila, e, nesses anos que se passaram, me acostumei a chamá-la de dona Lia. Como amo cozinhar, aprendo muitos de seus truques e segredos de quitutes típicos de botequim (Lia também já foi dona de bar), como bolinhos de carne, pastéis, coxinhas de frango.

Com seu sorriso constante, filosofamos sobre política, a violência na cidade, o funk, os evangélicos, o vegetal que está pronto para ser colhido na nossa horta (nunca deixo de me assombrar em poder consumir um alimento plantado no quintal de casa), transformando, assim, nosso dia a dia num espaço de simplicidade, serenidade, aconchego, brincadeiras e afeto.

Lia querida, minha querida dona Lia, você mora no meu coração.

Início da restauração do disco

Viramos o ano preparando o estúdio com a obtenção de um computador mais parrudo, capaz de suportar plug-ins mais pesados, e uma série de plug-ins novos em que poderíamos nos valer de compressores, equalizadores, *tape machines, delay*, câmaras de eco, uma constelação de novos recursos para que pudéssemos trazer o som das gravações do estúdio à vida.

Revisamos todas as faixas e chegamos à conclusão de que "Planeta água", reencarnada como uma moda de viola, deveria ser toda regravada em sua íntegra. Sendo assim, passei um dia inteiro regravando todos os instrumentos e, logo em seguida, iniciamos a remixagem justamente pelas faixas gravadas no estúdio da minha casa: "Vida bandida" e "Planeta água", por não haver necessidade de reparos no som.

Quando falamos em reparo no som, estamos lidando com nosso maior inimigo: o vazamento de som. Por exemplo: a caixa da bateria, se não houver o devido cuidado em escolher corretamente a angulação do microfone, sofrerá a invasão sonora de peças como o contratempo (o chimbau), os tambores vizinhos e os pratos, causando, assim, no canal da caixa, uma chiadeira dos infernos, impossibilitando por completo obter definição, nitidez e muito menos um timbre bonito da peça.

Fora isso, a sala (ambiência) da bateria estava toda fora de fase (esse fenômeno ocorre quando dois microfones estão fora de ângulo, portanto, um cancelando o sinal do outro).

Esse tipo de defeito de gravação ocorreu em todas as faixas gravadas no estúdio. E "limpar" essa sujeira requer paciência, meticulosidade e muita experiência para realizar essa verdadeira cirurgia sônica. Defeitos graves nos vocais foram detectados, com muitos "Ss" (*sibilance*) e "Ps" (*puffs*) na emissão da voz. Fui obrigado a regravar muitas das faixas quando recuperar a gravação original era tarefa impossível.

Outro grave problema era com os ruídos vindos dos amplificadores das guitarras. Com um aterramento precário, os ruídos mais desagradáveis e a intromissão brotavam do instrumento quando ouvíamos ele sozinho.

Para ser mais sucinto, eu e Diovainne teríamos uma tarefa hercúlea pela frente e nosso *deadline* estava marcado para março.

Não haveria como atrasar mais a entrega dos discos.

Para isso, Diovainne "acampou" várias noites seguidas, dormindo no sofá do estúdio, fazendo revezamento de turno comigo, enquanto eu terminava algumas funções chatérrimas no Pro Tools de pura faxina, escravizado por movimentos mecânicos, monótonos e repetitivos no mouse.

Contudo, para nossa recompensa, o resultado estava surtindo efeito. O som possante dos Eremitas da Montanha finalmente vinha à tona em todo seu esplendor! Finalmente poderíamos entregar ao público um disco com som próprio, com assinatura, DNA, estilo.

Nós dois parecíamos aqueles meticulosos e heroicos restauradores de quadros, artesãos recuperando relíquias estilhaçadas em mausoléus, trazendo à vida afrescos em paredes desbotadas pelo tempo nas igrejas.

Se havia algo que pudéssemos comparar para se ter uma ideia do tipo de trabalho era exatamente isso. Restauração total.

Passamos três meses nessa função e exaustos, repletos de LER (lesão por esforço repetitivo) espalhada pelos nossos dedos, punhos e cotovelos. No entanto, no final da jornada, lá estavam as 25 faixas mixadas, masterizadas e prontas para a fábrica.

Nos restaria ainda outro calvário: masterizar as 25 faixas para a prensagem do vinil, que haveria de ser agendado para uma outra ocasião, pois queríamos passar as músicas por tape magnético, o que requereria outro equipamento.

Com as faixas prontas, reunimos Os Eremitas da Montanha para fazer uma votação da escolha do single, e a eleita foi "Geração Coca-Cola".

A partir de então, só nos restava nos concentrarmos nos ensaios para a tão ansiada estreia da turnê nacional, que já estava marcada para começar por São Paulo, em maio.

Estreia da turnê de lançamento na Áudio

Com a casa cheia, cometemos nosso show de estreia com uma ferocidade e determinação contagiantes.

A plateia ensandecida cantava conosco todos aqueles hinos dos anos 1980, contando com a aparição do Roger, que entrou no palco para dividir comigo os vocais de "Nós vamos invadir sua praia", levando a galera à loucura. O show teve quase três horas de duração.

Além dos shows foram agendados programas de TV como *The Noite*, *Amaury Jr.*, *Altas Horas* e *Faustão.*

A greve dos caminhoneiros

Na reta final da corrida eleitoral, a praticamente cem dias da eleição, com Jair Bolsonaro tido e havido como franco favorito, como provável vencedor, eis que é instaurada uma greve dos caminhoneiros.

A greve foi um grande desastre econômico, derrubando o PIB, causando mais desempregos, aniquilando toda a possibilidade de o Brasil dar uma arrancada e tirar o pé da lama econômica naquele finalzinho de governo Temer.

Qualquer aluno do pré-primário poderia enxergar essa obviedade. Contudo, por debaixo do pano daquela cretinice, haveria de ter outra maior: uma tentativa de intervenção militar!

Estávamos lidando com histéricos, precipitados, irresponsáveis cujo único e manifesto anseio era engendrar um golpe militar, mesmo com seu candidato às portas do Palácio do Planalto, prestes a vencer legitimamente um pleito nos moldes democráticos.

Foi nesse momento que comecei a postar alertas para que o bom senso preponderasse: as eleições estavam às nossas portas, Bolsonaro com a mão na taça e uma orquestração na direção de um golpe militar sob um cínico apelido: Ação 142.

Parecia a vida imitando a piada... aquela célebre piada do nadador que sai da África rumo ao Brasil e, na última braçada, se flagra cansado e decide retornar.

E qual o segmento a dar força àquela pornochanchada ridícula?

O segmento daquela direita reacionária que, àquela altura do campeonato, mandava e desmandava nas redes sociais, com seus xingamentos, indignações e robôs, a repetir expressões deselegantes e fanfarronas como "mito", "talkey" ou "é melhor Jair se acostumando".

E com a batuta do destempero, Olavo, furibundo e delirante, regia aquele punhado de idiotas.

Um parêntese: para uma criatura se submeter a um chefe de seita, é imperativo portar uma personalidade submissa, cuja insignificância na vida lhe seja inquestionável para que, acoplada a uma coletividade de dependentes emocionais em torno de um determinado líder, adquira, por parasitismo psicológico e expressão numérica, uma força que, sozinho, jamais haveria de ter. Não raro, encontramos um "drive sexual" bastante comprimido nessas criaturas (tanto homens quanto mulheres), que, em sua grande maioria, se mostram pudicos, carolas e papa-hóstias. Daí tantos casos de priapismo de largada e ninfomania ecumênica.

E, nesse cenário de patética precipitação, até o Bolsonaro chegou a postar (logo apagou), repleto de contrição cívica, que até abdicaria de sua candidatura em detrimento de uma intervenção militar.

A bagunça era generalizada e o caos reinava.

Aquilo lá não era exatamente um bom augúrio.

Em reação às minhas postagens pedindo moderação, choviam torrencialmente na minha *timeline* impropérios robustos.

Creio que bloqueei mais de três mil fanáticos num período de cinco dias.

Meu recorde até então. Até então...

Estando eu em plena campanha de lançamento do disco e do livro, com uma agenda cheia de compromissos e eventos em programas de TV, começou a pipocar uma série de mensagens jurando de pés juntos que eu havia me vendido à Globo e, por isso, tomava aquela postura de "isentão". Que me colocava contra a greve dos caminhoneiros e seus desdobramentos (a constrangedora ideia de intervenção militar), como se nunca na minha vida houvesse me manifestado veementemente contra qualquer possibilidade de intervenção militar; principalmente em se tratando daquela manifestação de notável imbecilidade coletiva.

"Vendido!", "oportunista!", "fracassado!", "quem já foi esquerdista nunca se cura da doença", "tomou muita maconha e ficou com o cérebro estragado", "também pudera, até a mãe dele não o aguentou e se matou de desgosto".

Curioso perceber a similaridade, a princípio intrigante, com os vitupérios e xingamentos da esquerda... E essas semelhanças tenderiam a se estreitar, se aperfeiçoar e se avolumar.

Eclode o priápico de largada

Havia um tipo de criatura sendo escondido nas entranhas dessa direita sectária que tomava conta das ruas e das redes sociais: o chamado bolsolavista. E o que seria um bolsolavista? Um bolsonarista doutrinado pelos fundamentos e princípios olavéticos. Alguém que se submete integralmente a cumprir toda a agenda de expectativas do cenário inventado pela mente bastante deformada de Olavo.

O bolsolavista é facilmente reconhecível pelo seu discurso uniforme, monocromático, delirante, retrógrado, bidimensional, autocentrado, histérico e plano!

Algo que jamais consegui explicar a mim mesmo é essa ocorrência numérica considerável e espantosamente uniforme de idiotas manufaturados pelos ensinamentos de um cara aparentemente brilhante, inteligente e culto como o Olavo.

O que mais depõe contra Olavo são seus alunos.

Como um "mestre da pedagogia" e do "saber filosófico" poderia cometer a façanha prodigiosa de produzir uma profusão desconcertante de idiotas e medíocres por metro quadrado?

Surgia, então, para escárnio do destino e para zombaria de todas as teses sócio-político-comportamentais de plantão, o verdadeiro imbecil coletivo... by Olavo.

Era batata: certa vez, tropecei numa dúzia de jovens olavetes num shopping center em Manaus, quando por ocasião de um show meu na cidade, e, por aquelas inexplicáveis coincidências, também por ocasião do lançamento do filme de Josias Teófilo sobre o Olavo (de Carvalho), *O jardim das aflições*.

Acometido de natural espanto diante de um bizarro visual à minha frente, observava aquele grupo de adolescentes nervosos, com sudorese nas mãos, todos, sem exceção, a trajar calças de tergal de vinco inviolável, a envergar orgulhosos topetes espectrais, arqueológicos, topetes rígidos, heráldicos, verdadeiras auréolas de queratina! O halo que desprendia daquele grupo de meninos era de uma afetação vulgar e boba de uma suposta vida acadêmica.

Pois bem, os jovens começaram a me arguir sofregamente sobre o que eu achara do tal filme, sem fazer a menor alusão, ideia ou suspeita da minha real razão de estar presente em Manaus, que era cometer alegremente o meu show.

Minha mulher, Regina, na sua infalível perspicácia feminina, já havia me cantado aquela pedra muito antes que eu pudesse ter feito qualquer tipo de associação: "Incrível como todos eles (os olavetes) usam calças de tergal!"

E a precipitação histérica era o forte traço que todos esses pobres diabos carregavam. Tipo...: me importa, Bolsonaro vai ganhar as eleições, estamos a cem dias do pleito vitorioso. Hummm... Melhor parar tudo e desencadear um golpe militar."

Bolsonaro foi eleito? Não basta! E, mesmo sem ter sido eleito ainda, sem um tempo mínimo para mostrar ao povo alguma competência ou mérito em seu cargo, o bolsolavete já antecipa, sôfrego: Bolsonaro reeleito em 2022!... E já sai lançando uma *hashtag* no primeiro dia de mandato: #bolsonaro2022!

E por que não uma dinastia de Bolsonaros?

Por que não se render incondicionalmente a um clã, sem questionamento, sem exigir, sem cobrar o mínimo indispensável de um funcionário público, que é mostrar eficiência, cumprimento de promessas de campanha e honestidade no trato público?

Este é o reino da ejaculação precoce. De gente carente de alguém que oprima, designe, destrate e se perpetue no poder.

Minha decisão de apoiar Bolsonaro

Eis que me vejo num tremendo dilema.

O período de propaganda eleitoral chegando ao fim, os candidatos se desgastando com aqueles clichês manjadíssimos dos marqueteiros de plantão que vieram a auxiliar sobremodo o gradativo afunilamento das escolhas do eleitorado, conduzindo assim a disputa para uma eleição plebiscitária.

Em meados de setembro, com a turbinada da facada em Bolsonaro, só restavam duas opções: ou você votava em Fernando Haddad ou em Jair Bolsonaro.

Tendo em vista o cansaço e o tédio no trato com aquela direita abjeta, que se apossava gradativamente do discurso em nome de toda a oposição como única alternativa ao PT, e pelos anos a fio na luta para se ver livre do PT no poder, a grande maioria do eleitorado se viu numa encruzilhada: ou votava no Bolsonaro ou o PT ia levar mais uma, fincando sua bandeirinha no Palácio do Planalto pela quinta vitória consecutiva, desde 2003.

E, vamos e venhamos, depois de todas as cagadas e dos desgostos, numa crise econômica sem precedentes, com a pústula do Maduro como um aliado, deixar o Haddad se eleger soava como uma cusparada na cara.

Depois do episódio da "facada", o cerco se fechava para uma sumária e única opção: votar em Bolsonaro.

Tentar o Partido Novo? O Álvaro Dias? O Henrique Meirelles? E levar uma bola nas costas e ver o PT ganhando no primeiro turno?

E o voto nulo, o voto em branco, e não comparecer na votação? Qualquer abstenção auxiliaria a candidatura do PT.

E o Bolsonaro? Com aquela facção neofascistoide fungando no cangote de toda a direita dita democrática, ficava cada vez mais difícil acreditar que um nicho liberal e mais civilizado que se aninhava em torno do candidato pudesse realmente ter uma ascendência mais... republicana no "capitão".

Houve momentos que até imaginei ser uma redenção cármica termos essa equipe de militares no poder, para assim haver uma chance de a história de autoritarismo militarista de 23 anos no poder ser reescrita sob a égide da liberdade e da democracia.

Creio que essa linha de raciocínio foi adotada por grande parte dos mais de 57 milhões de eleitores que haveriam de consagrar Jair Bolsonaro como o novo presidente do Brasil.

Era um risco? Sem dúvida, mas não havia outra escolha.

Aliás, o Brasil é prenhe de más escolhas, o Brasil é sempre refém do menos pior.

E assim foi.

Após semanas ruminando sobre a decisão a ser tomada, verificar todos os prós e contras, conversei com Regina declarando minha decisão final.

E, debaixo de todo aquele fogo cruzado nas redes sociais, pressões de todos os lados, decidi gravar um vídeo para deixar registrada minha decisão, anunciando meu apoio à candidatura de Jair Bolsonaro.

E os desavisados que não se enganem: quem colocou o Bolsonaro na reta do poder foi justamente o PT. Jamais haveríamos de ter uma figura patética como o Bolsonaro como candidato (vencedor) à Presidência se não houvéssemos vivido um período traumatizante do PT no poder por mais de uma década.

O campeão das *hashtags*

Esse foi um período que me dedicaria integralmente a transitar nas redes e a postar o maior número possível de *hashtags*, uma vez que esse era um de meus grandes trunfos.

Como sabia usar muito bem os mecanismos intrincados de postagens no Tuíter, conseguia subir as *hashtags* para os primeiros lugares nos *trend topics*, às vezes em menos de 15 minutos.

Fiz uma maratona de dimensões dramáticas que muito auxiliou a convocar uma camada substancial das pessoas que ainda estavam indecisas. Escolhi alguns comentários relativos às *hashtags*: "@ lobaoeletrico Papai Lobão, rei das *hashtags*, vamos subir!", "Parabéns, Lobão, rei das *hashtags*!", "Petista bom é petista passando vergonha!", "#FolhaFalhaMasNãoEmplaca criada pelo Pai lobãoElétrico já está em 2º nos TT, uau! Lobão é o rei das *hashtags*!", "@lobaoeletrico Papai Lobão rei das *hashtags*".[1]

Vitória!

Meu querido amigo Danilo Gentili me telefonou avisando que haveria uma festança em seu apartamento, com muita bebida, fogos de artifício, cascatas artificiais e velório do PT, caixão, entre outras sacaneadas.

Estava claro que a comemoração era pela derrota do PT.

E lá fomos nós, eu e Regina, atravessando a cidade em delírio, todos de verde e amarelo nas ruas a gritar, num pequeno e fugaz instante de verdadeira esperança e pertencimento de todo aquele povo.[2]

O mistério do Pai Lobão

Há muita gente que não faz a menor ideia de como surgiu o Pai Lobão, e eu explico: em meio àquela batalha campal no Tuíter, com uma quantidade extraordinária de MAVs petistas enviando mensagens fofas, intuí que seria mais eficaz e gaiato inserir uma persona, um *alter ego*.

Assim sendo, comecei a responder aos ataques como se tivesse baixando um preto velho, e, com o transcorrer das trocas de gentilezas, houve uma notória evolução desse personagem que passou a se chamar Pai Lobão de Lobanda, com direito a ponto, vinheta, trilha sonora e dialeto próprios.

Lobão para ministro da Cultura? Nem morta!

No rastro da vitória, a efusão, a excitação, o delírio e, com essa torrente de emoções, palpites dos mais desconexos com a realidade.

No curso de toda essa minha exposição na vida política brasileira, meu único intuito sempre foi justamente atuar como o artista que sou, com os atributos de artista que sou. Jamais me imaginei ocupando qualquer cargo público que fosse, e só de imaginar essa possibilidade fico coberto de brotoejas.

Até hoje não consigo compreender qual foi a conexão que as pessoas fizeram em suas cabeças entre minha atuação como artista e a real possibilidade de eu vir a ocupar cargos em governos.

Que ninguém nos ouça, mas a sensação que tenho é de encolhimento existencial.

Sair da minha área, do meu ofício de artista, para me tornar um político, seja qual ranking for, é, para mim, um torturante rebaixamento.

Não sei se por minha família materna ter uma tradição de muitos funcionários públicos e isso ter sempre me causado horror em me imaginar sendo um ou por pavor em abdicar do que mais amo fazer por uma ocupação eminentemente "pedestre".

Quando começaram a pipocar uma saraivada de tuíteres me indicando como um possível ministro da Cultura, tive ânsia de sair correndo e invadir a primeira farmácia que encontrasse e implorar de joelhos por uma caixa de Prozac.[3]

Não adiantava argumentar, agradecer embaraçado, tergiversar o assunto, pois uma multidão de entusiastas clamava meu nome para o distinto cargo.

Pincei alguns posts desses a título de ilustração: "Lobão merecia ser ministro da Cultura", "#LimpezaNoSTF Lobão ministro da Cultura @lobaoeletrico", "Bolsonaro presidente, PT na cadeia, Lobão ministro da Cultura", "@lobaoeletrico, você aceitaria ser ministro da Cultura do Bolsonaro?", "Lobão sugeriu, então vamos juntos #BolsonaroSim. Lobão para ministro da Cultura", "Lobão mandou a gnt obedece #BolsonaroPresidente", "@lobaoeletrico para ministro da Cultura", "Sou a favor de Lobão para ministro da Cultura e aquele que tomará conta da Lei Rouanet, da análise e fiscalização de liberação de tuíter". E por aí vai.[4]

Logo após as comemorações, recebo um telefonema do ministro Osmar Terra querendo marcar um encontro comigo para falar sobre... cultura.

Agendamos nossa conversa na Figueira Rubayat e, após o ministro chegar, acompanhado do então eleito deputado federal Alexandre Frota (que partiu logo depois de efusivos cumprimentos, abraços e selfies), passamos algumas horas trocando muitas ideias sobre cultura.

A primeira confissão que o ministro me fez foi que, de "cultura" mesmo, ele só tinha alguma familiaridade com o berimbau, em virtude de ser capoeirista.

Um tanto assustado com semelhante declaração, fiz questão absoluta de iniciar nosso papo deixando absolutamente claro que era total a impossibilidade de que viesse ocupar algum ministério, secretaria, levar bandeja de cafezinho ou qualquer outro tipo de cargo, em qualquer governo que fosse.

Além de mostrar minhas propostas em relação à cultura no Brasil, indiquei nomes que considerava ter os pendores necessários para ocupar uma suposta Secretaria da Cultura (pelo que entendi, ainda não haviam decidido se o MinC continuaria existindo ou se se transformaria numa secretaria).

Capítulo 22
2019 | Guto Barros

Conheço o Guto desde 1968, portanto, há exatos cinquenta anos. Posso contar nos dedos de uma só mão aqueles com quem ainda tenho algum contato daquela época.

Luiz Augusto era um cara bem diferente de todos os guris de nossa turma, para não dizer diferente de todos os guris que eu conhecia.

Calado, retirado, não tinha uma turma, e, na sua silenciosa solidão, só conseguia ser notado na sala de aula quando eram anunciados os resultados das provas. Era um aluno formidável, daqueles que tiravam 10 em quase todas as provas sem fazer um alarde, sem mostrar sinais de existência, sem levantar um dedo para esclarecer alguma dúvida que fosse, e, além dessa característica que o fazia ser respeitado em silêncio, havia algo em seu aspecto físico que também o diferenciava dos outros: aos 11 anos, Luiz Augusto já envergava uma espessa barba! Sim, uma barba jesuscrística de fios longos que despencavam de suas bochechas a ressaltar um olhar sampaco de olhos negros, envolvendo o Guto numa aura de mistério insondável.

Mamãe, naquele período da sua vida, apesar de ser, assim como eu, uma fervorosa católica (quase virou freira!), experimentava, junto com seu grupo de amigas, visitas constantes a centros espíritas, dos mais variados segmentos, como centro de materialização, centro do Walt Disney (!), centro de mestres do Oriente, centro de frei desencarnado (atualmente espírito de luz), centro kardecista e até mesmo centros de umbanda! No caso de mamãe, participativa como ela (que tinha muita mediunidade), já vestia roupa branca e trabalhava até a madrugada nas sessões das quartas-feiras no centro no Jardim Botânico, incorporando uma plêiade de entidades astrais de espíritos de luz e até alguns pretos velhos. Aquelas diligentes donas de casa, à procura de um significado maior em sua existência, se submetiam a todos os rituais no intuito de ajudar os outros, vasculhando nichos, todas as novas descobertas espirituais, portanto, tudo para elas era de fundo espiritual. Deu uma topada no pé da mesa? "Mas tá na cara que é um espírito obsessor!" Engasgou com a sopa? "Gente, olha só como Deus opera seus desígnios! Isso é algum carma a ser quitado da encarnação anterior!" Passa as noites a fio feito um zumbi a sonambular? "Batata! Tem mediunidade forte e precisa ser levado ao centro para 'desenvolver'."

E assim, mergulhada numa rotina sôfrega de alguém que sempre estava em estado de eterna vigilância e escrutínio sobre todos aqueles que se aventurassem a chegar perto de mim, mamãe me afirmava: "O Luiz Augusto é um espírito evoluído, um velho de alma."

Sim, não tínhamos a menor dúvida de que o Guto era um espírito evoluído, um sábio nato, nasceu já fazendo análise combinatória com seus chocalhos de berço.

E, com esse halo de pessoa muito especial, o Luiz Augusto começou, mesmo que à sua revelia, a ser requisitado pelos coleguinhas, e, já havendo fortes indícios de ser um fanático torcedor do Botafogo, acabou recebendo um convite meu, que, apesar da minha singular inapetência futebolística, era o capitão e técnico do time da turma do 2ºC, para jogar no nosso *scratch* (a nossa turma só tinha garotos-problema, CDFs, nerds, tida e havida como o pior time do campeonato entre as turmas do ginásio) nas aulas de ginástica, que eram, naquela época, ministradas no Parque da Gávea, no Clube de Regatas do Flamengo.

E daí, eis uma outra retumbante surpresa: Guto era um craque! E seu estilo de jogar era exatamente o mesmíssimo que apresentava em sala de aula: concentrado, taciturno, minimalista e fatal!

O sujeito passava meia hora sem pegar na bola e eis que, de repente, o Luiz Augusto surgia como que desembarcando de uma nuvem, tomava posse da pelota e em dois únicos toques arrematava um petardo, cometendo, assim, um golaço, no ângulo, daqueles de Canal 100, com direito a musiquinha e tudo. Aquele gol monumental em que o sujeito autor da obra-prima não nem tempo sequer de comemorar por se iniciar de imediato sua transformação em estátua! Sim, um gol do meio do meio, a quase 35 metros de distância!

Quando não aparecia do nada, para apavorar a defesa e humilhar o goleiro adversário com seus gols, Guto, não raro, se colocava à espreita, no rebote da nossa grande área, como se fosse um inofensivo líbero, e, quando roubava uma bola de um desavisado centroavante, dava uma de Gérson e confeccionava lançamentos de distâncias transamazônicas, vialácticas, estratosféricas, orbitais, de precisão celestial!

Eu, que sempre fui um pereba às raias do virtuosismo da entropia ergonômica, cheguei a fazer um gol com um passe do Guto. Na verdade, o gol que nos deu o improbabilíssimo título de campeões daquele torneio, simplesmente porque a bola resvalara sutilmente na minha canela, tomando a direção certeira da cidadela adversária. Decerto um gol de autoria intelectual do Luiz Augusto, que, em sua sobre-humana intimidade com a bola, somada a seu engenhoso estratagema mental, como se fosse um Rui Chapéu dos gramados, me usara como baliza, como um benévolo poste de bandeirinha de escanteio plantado na área!

E, mediante aquela aproximação através dos desígnios futebolísticos, passei a ter mais acesso ao convívio daquele meu novo futuro amigo.

Em sua atmosfera misteriosa, minha percepção da sua figura é de que se tratava de um CDF, de um nerd, que possuía uma habilidade descomunal de jogar bola através de um minimalismo inexplicável. No entanto, jamais, em sã consciência, poderia imaginar que o Luiz Augusto gostasse de música, muito menos de rock.

E, para meu total espanto, em plena hora do recreio, quando nós dois, sentados na escadaria do final do pátio, consumíamos concentradíssimos nossos sanduíches de queijo quente, me veio à cabeça, mesmo por total falta de assunto, comentar que estava a fim de formar um conjunto de rock. E perguntei inocentemente se ele gostava de rock: "Eu toco guitarra", me disse, lacônico. A primeira coisa que imaginei foi que o Luiz Augusto, com aquele seu humor seco e monossilábico, estava tirando onda comigo. Afinal de contas, encontrar um guitarrista era a coisa mais difícil do mundo, e logo aquele cara com pinta de monge de centro espírita, aquela quietude, aluno exemplar, artilheiro da turma... Como poderia essa figura... tocar guitarra? Deduzi, em minha histeria pânica, que Luiz Augusto só poderia, no máximo, gostar de um iê-iê-iê, já naquela época um estilo matusalêmico, espectral, extemporâneo. E perguntei a ele certo de ouvir sua resposta: "Hummm, você, por acaso, gosta de que tipo de som?" E, de bate-pronto, me respondeu, sucinto: "Bem, eu gosto do Alvin Lee."

Alvin Lee? Do Ten Years After? Aquele sujeito que acabou de defenestrar sua guitarra, com um solo de uma rapidez mefistofélica, naquele festival de Woodstock, numa performance demoníaca de "I'm Going Home by Helicopter", que saiu do palco carregando uma abóbora nas costas? "Isso. Esse mesmo..."

"Hã, hã", resmunguei, assustadíssimo, e pensei silenciosamente: "Esse cara gosta do Alvin Lee, tem uma guitarra. Deve ser uma guitarra bem sarapa..." Naqueles tempos heroicos, o sujeito ter uma guitarrinha Phelpa e uma vitrolinha portátil fazendo as vezes de amplificador já era considerado um feito formidável.

Em plena ditadura militar, qualquer produto importado custava quantias exorbitantes, impossíveis de se mensurar, e adquirir uma guitarra importada, bem, isso poderia ser considerada uma proeza inimaginável.

Mas o Luiz Augusto, para minha surpresa, já havia morado fora, falava inglês fluentemente e trouxera consigo dos Estados Unidos uma guitarra japonesa, uma réplica exata da Les Paul (que eu desconhecia até então), vermelha, linda, tão bonita que dava até vontade de lambê-la com a solenidade de um Chicabon. E ainda por cima tinha um amplificador Giannini, modelo Tremendão, em homenagem ao nosso glorioso Erasmo Carlos! Ter um Tremendão naquela época era um fetiche, um sonho, uma utopia!

E, com sua inabalável fleuma, o Luiz Augusto se colocou à disposição para fazer um som comigo.

"Eu vou lá na sua casa com o 'amp', a guitarra..." E assim foi. O Guto chegou depois do almoço, de táxi (um fusca bege!), carregando aquela parafernália, um amplificador enorme que mais parecia uma geladeira Brastemp com pinguim e tudo, descarregou a aparelhagem com uma rapidez e uma resignação improváveis, e eu assistia à manobra atônito, perplexo, encantado, lá do terraço (que usaríamos como nosso Abbey Road), paralisado por aquele visual! Demorou alguns instantes para que eu recobrasse a consciência e pudesse acenar para ele me prontificando em descer para ajudá-lo. Creio ser difícil para qualquer outra pessoa aquilatar a importância crucial daquele momento. Meu fascínio diante daquela cena, o Luiz Augusto montando a tralha toda... liga o amp, espera um minuto para acionar o *stand by*... aquele ruído, liga a guitarra a um pedal (sim! Ele tinha um pedal de distorção embutida num wah wah!). "Porra, Luiz Agusto, o que esse pedal faz?" "É um wah wah e faz wah wah, e é uma distorção também." E passou a apertar com o dedão do pé aquele aparelho misteriosíssimo, e, como num passe de mágica, a guitarra começou a falar wah wah wah wah, com aquele som de distorção que só encontrávamos nos discos do Jimi Hendrix, dos Kinks ou nos nossos mais inverossímeis sonhos.

Além do impacto visual, sonoro e tecnológico, houve o impacto moral, psicológico, emocional: para meu assombro completo, o Luiz Augusto, com aquela calma, com aqueles gestos minimalistas, econômicos, sutis, passou a dedilhar a guitarra com uma rapidez e uma fúria incalculáveis. Lá estava ele executando com uma perfeição museológica o "I'm Going Home by Helicopter", do Alvin Lee. Deu uma paradinha, me olhou e disse: "Não vai pra bateria, não?" Sim! Estava estático, congelado no meio da sala do terraço com uma baba elástica a escorrer do canto da boca a ouvir, maravilhado, o Luiz Augusto tocar com uma facilidade obscena uma das faixas mais emblemáticas do rock. Até aquele dia fronteiriço, me acostumara a simplesmente tocar junto com meus discos, numa solidão resignada, ciente de que jamais haveria de ter um cúmplice, um parceiro musical para tocar e vivenciar intensamente todas aquelas bandas e heróis que guardava como segredo de estado para que meus pais não suspeitassem. E para tal, me submetia a acompanhar mamãe ao piano tocando canções italianas e bossas-novas, tudo com harmonia facilitada, durante infindáveis tardes, e, sempre que podia, mostrava a ela, de forma vil e covarde, todo meu falso desprezo por meus heróis de verdade, para que não fosse descoberto adorando maconheiros que só sabiam fazer barulho, não tomar banho e planejar assassinatos de Sharon Tates.

E com toda essa pesada bagagem emocional, toda essa repressão musical, encontrei um cara, da minha idade, da minha turma de colégio, que também adorava jogar botão, cracaço de bola e um... um... um Paganini na guitarra! Um Rachmaninoff protopunk, um Liszt amplificado! Um *spalla*, sempre a exibir com uma constância demencial aquela conduta sóbria, aquele minimalismo de gestos, uma infalibilidade revoltante em tudo o que se propunha fazer. Não satisfeito em tocar "*Going Home*" por mais de 15 minutos, engatou uma quinta puxando "Soul Sacrifice", do Santana (que acabaria por se tornar nossa peça de resistência quando formássemos nosso grupo, o lendário Nádegas Devagar).

O Guto era assim no pingue-pongue, na sinuca, no botão, no órgão (tocava no Hammond de seu pai, de forma irretocável "In-a-Gadda-da-Vida", do Iron Butterfly; "Monster", do Steppenwolf; e "Mean Mistreater", do Grand Funk Railroad). E também no violão clássico!

Foi o Luiz Augusto que, em sua santa paciência e pedagogia búdica, me ensinou a tocar "Stairway to Heaven", "The Rain Song", "Over the Hills and Far Away", estudos de Villa-Lobos, "Brasileirinho". Às vezes, chegava na minha casa, me mandava pegar meu violão Seresta e me "soletrava" alguns dedilhados. Eu o obedecia fielmente quando ele pegava o outro violão e começava a complementar as frases que havia me ensinado, desvendando assim uma engenhosa e bela estrutura musical, uma peça para dois violões. Eu, na minha santa *naïveté*, ficava mesmerizado com aquela engenhosidade, com aquela adequação harmônica e com a paciência dele em me ensinar.

Enfim, tudo que aprendi no violão naquele período seria parte integrante da minha formação como compositor e depois como guitarrista retardatário. Portanto, devo ao Luiz Augusto praticamente tudo o que aprendi de uma outra pessoa.

Passamos todos esses anos, essas décadas, tendo encontros e desencontros. Ele sempre acabava voltando para Boston, mas sempre retornava para o Rio. Nunca se sentiu exatamente confortável num lugar. Formamos em nossa puberdade o Nádegas Devagar, que se estendeu por quase oito anos de vida. Ele voltou para Boston, retornou para formar comigo a Blitz, foi parceiro do Evandro e do Zeca Mendigo na seminal "Você não soube me amar", dando forma e ritmo ao texto, implantando *riffs* beatlelescos na canção, para em seguida voltar para Boston com a banda já encaminhada para seu astronômico sucesso.

Retornou ao Rio para formarmos Os Ronaldos, nome que surgiu de uma música que ele estava compondo ("Ronaldo foi pra guerra") e que eu acabei por finalizar.

Guto foi o autor de um dos mais notáveis e reconhecíveis solos de guitarra da nossa geração, o de "Me chama", que, junto do monumental solo de "Ovelha negra", de Luiz Carlini, e do de "Trem azul", do Toninho Horta, estão entre os mais assobiáveis e bonitos solos de guitarra da música popular brasileira.

Eu fui expulso dos Ronaldos e, desde então, nunca mais vi meu amigo.

Só voltamos a nos falar pela internet no princípio de 2019, quebrando um gelo de décadas. Minha alegria por reencontrá-lo foi indizível. Luiz Augusto estava bastante adoentado, precisando de cuidados constantes dos filhos, e, no início de novembro, fui tocar no Rio, em Olaria, quando prometi visitá-lo.

Por atrasos, imprevistos dos mais variados, acabei por não conseguir visitá-lo, e meu amigo querido morreu naquele exato fim de semana, me causando uma dor profunda.

Luiz Augusto, escrevo estas linhas com meu coração repleto de alegria e gratidão por ter tido a felicidade e o privilégio de ter te conhecido, ter sua amizade, sua paciência comigo, por você ter ensinado tanta coisa importante para minha vida.

Quero que você, onde estiver, não descanse tanto em paz assim, viu? Fica na escuta que, quando eu chegar na área, quero ver tudo montado pra gente fazer *jam sessions* celestiais, combinado?

Te amo, meu irmãozinho querido.

Me aguarde.

Capítulo 23
2019 | A posse de um demente

Sou uma criatura metódica, rotineira, repetitiva – e amo ser assim. Acordo, ou melhor, sou acordado religiosamente às 4h35 por Maria Bonita, que, com sua pata retrátil, as unhas recolhidas numa delicadeza de fadinha, apalpa minhas pálpebras no intento de me fazer abrir os olhos, emitindo uma vocalização expressiva como um... miauuuu... e, logo em seguida, começa a esfregar sua orelha no meu rosto. Isso ocorre todo santo dia.

Por mais exausto que possa estar, me sinto um ser privilegiado por receber o cuidado e a atenção que Maria Bonita me dispensa. Portanto, quem seria eu para resmungar meu sono perdido?

Levanto, dou uma bitoca na Dalila, que está enfurnada no edredom, aos pés da Rê.

Desço cantarolando um sonoro lá e lá lá lá convocando as gatas para a pastinha (ração úmida), a emitir sons e grunhidos repletos de serotonina padrão fofura que se, por acaso, fossem rastreados por algum observador escondido, poderia facilmente ser diagnosticado como um débil mental da noite para o dia e conduzido gentilmente a uma casa de repouso.

Tomo meu açaí com granola, subo para escovar os dentes, borrifar-me de água de colônia e cobrir de beijos minha mulher amada.

Retorno às gatinhas para "buzuntar-lhes" as patinhas com pomada, pois uma delas, a Maria, está com problemas de tireoide e outra, a Dalila, nos rins. Uma está com 16 aninhos e outra, com 17.

A essa altura, dependendo da hora, dona Lia já chegou, e, sendo assim, passamos a colocar os assuntos em dia, a maldizer o governo, a violência, a carestia, quais legumes estão dando o ar da graça na hortinha, para em seguida recolher meu laptop e rumar em direção ao estúdio.

Dalila fica deitada com a Rê e Maria Bonita se adianta aos meus passos, sempre a me atropelar as canelas, na ânsia de chegar primeiro que eu na porta.

Abro a porta, cumprimento solenemente todo o equipamento, acaricio minha bateria, dou uma bitoca nas guitarras e nos violões, ligo toda a parafernália fazendo festinha nos pré-amplificadores, ligo a TV numa estação "neutra" como o Smithsonian Channel, para obter um efeito de *wallpaper* cinético, me deleitando com suas paisagens aéreas.

A essa altura, verifico o texto do livro, se não apaguei nada, se a Maria não apagou nada, se não esqueci nenhum detalhe, e assim prossigo no relato, não sem antes rodopiar ritualisticamente Maria Bonita, que já está sentada em sua cadeira me ordenando, com os olhos fixos, que comece a função (sempre no sentido anti-horário, fazendo as vezes de máquina do tempo de escritório, prolongando assim o tempo de vida de minha amada gatinha).

Quando começo a atacar as teclas do computador, percebo que será utópico imaginar que Maria Bonita tenha se satisfeito com o carrossel anti-horário – ledo engano. E, num salto elástico e preciso, cá está Maria Bonita em cima do meu ombro, como um papagaio de pirata, para depois se aninhar em cima do teclado em que passo a operar com uma só mão.

Isso acontece todo santo dia, e acontece agora, neste exato momento.

No início da escrita do livro, tentei impor uma rotina mais atlética, escrevendo ao mesmo tempo que pedalava minha *ergobike*. Contudo, o excesso de carga horária (às vezes passava duas horas e meia pedalando, absorto na escrita) me levou a sérios problemas na coluna, me obrigando a abortar essa rotina.

Após alguns meses entrevado, sem poder sequer escrever uma linha, prossegui na maratona em novo ritmo.

Ah! Agora mesmo Maria me exige retornar ao fluxo frenético do carrossel anti-horário.

Escrevo isso não somente para documentar o passo a passo desse processo meticuloso e exaustivo de escrever um livro (fico de olho comprido para os instrumentos, morrendo de vontade de voltar a tocá-los), mas, antes de mais nada, para revelar a vocês as manias, os rituais e outras excentricidades, e, sendo assim, cônscio das minhas manias e chatices, quero deixar patente minha gratidão à minha mulher querida, Regina, à dona Lia e a todos que me aturaram durante todo esse período.

A posse

O ano de 2019 foi inaugurado com a posse do Bolsonaro, com um Brasil marejado de esperança e júbilo cívico. Contudo, não houve muito tempo para prosseguir com as comemorações.

Logo na primeira semana de mandato, começou a delinear-se um macabro processo de linchamentos virtuais, desencadeando um clima de tensão, ameaça e descontrole, que seriam a a marca registrada deste governo.

O primeiro personagem, o *pole position* a se destacar nessa balbúrdia tenebrosa, como não poderia deixar de ser, foi o anti-Olavo (de Carvalho), que, numa ação padrão "Olavo a Jato", num gesto olímpico de precipitação mercurial (pelo menos era o que imaginávamos), pôs-se a vociferar contra a comitiva de deputados do partido do presidente (que, óbvio, necessitava desesperadamente de quórum para sustentar suas medidas), achincalhando-os em aparições nas redes sociais, a defenestrá-los sempre aos palavrões, invectivas humilhantes e uma monomania mórbida de aplicar apelidos derivados de deformações grosseiras dos nomes próprios de seus alvos.

Pronto! Já tínhamos uma crise instaurada em tempo recorde. A Nova Era do linchamento virtual, dos seguidores anônimos da direita pronta para ameaçar, denegrir e difamar quem quer que se interpusesse nos desígnios da seita.

Com metade da base aliada desmoralizada na primeira semana de governo, aqueles outrora campeões de votos, aliados de primeira hora, estavam reduzidos a deslumbrados entreguistas, a marionetes do regime chinês, a vendilhões oportunistas que se dispuseram a abrir as pernas para o serviço de espionagem vermelho, jogados, dessa forma, ao exército de asseclas que, sem transição temporal, iniciou crudelíssimo linchamento submetido aos desavisados parlamentares, causando um profundo mal-estar na população, além de uma nuvem negra a pairar ameaçadora sobre o Planalto, numa amostra sinistra do que estava por vir.

Por mais que pudesse esperar dessa facção reacionária um comportamento vulgar e beligerante, jamais passou pela minha cabeça, nem pela de mais ninguém, acontecer de maneira tão rápida e tão magnificada aquela destrambelhada tomada de dianteira.

Não conseguia concatenar quais os benefícios ou interesses que teriam esses caras em empreender ação tão predatória, autodestrutiva e desestabilizadora como aquela.

Mas, apesar desse intrigante enigma, uma coisa estava clara: havia método naquilo tudo.

Como numa maratona ensandecida, o anti-Olavo pôs-se à frente desse exército de bolsolavetes e passou, em ação conjunta com o Carluxo Bolsonaro, a linchar o Gustavo Bebianno (presidente do partido do Bolsonaro, responsável pela candidatura dele), que foi ejaculado do cargo, carregando com ele a reputação do jornalista Felipe Moura Brasil, que, nada mais nada menos, foi o compilador do livro de maior vendagem do Olavo original, um dos maiores responsáveis pela divulgação e pelo agigantamento de seu nome.

Em menos de vinte minutos, Moura Brasil, de herói da direita e arauto de Olavo, despencou das nuvens para se tornar um joão-ninguém, um traidor, um isentão.

Quem era Felipe Moura Brasil? O que ele tinha feito na vida? Nada! Um mero oportunista ladeado de outro jornalista histórico, Augusto

Nunes, que concedera a Bolsonaro a primeira relevante entrevista de sua campanha.

Contudo, a partir do momento em que convidaram o Bebianno para dar um depoimento no programa *Os Pingos nos is*, passaram ambos a párias em questão de um átimo.

Inacreditável constatar que a reputação e a glória de Augusto Nunes, com uma vida inteira dedicada ao jornalismo, estavam reduzidas a pó.

O clima nas redes era (e prossegue) desagradabilíssimo, com manifestações de descalabro, desprezo, desconfiança, paranoia e tremeliques, com aquele indelével toque de histeria, de psicopatia coletiva, num festim malcheiroso no qual a empatia era o defunto a ser violado naquele arraial de horrores... ufa.

Parecia que estávamos reencenando a Revolução Francesa no período do Grande Terror, só que, no Arraial nos Cafundós da Terra Plana, a guilhotina é virtual.

Cabeças virtuais rolavam aos borbotões entre uma postagem e outra, numa sanha sanguinolenta e boçal.

Assim foi o Bebianno, o Felipe Moura Brasil, o Augusto Nunes e, em seguida, o anti-Olavo passaria a mirar nos militares que ocupavam cargos no governo!

E foi aquela *débâcle* de confianças, amizades, alianças e estabilidade. Algo nunca visto em governo anterior algum. O torque do influxo de destruição, ou melhor, de autodestruição, era formidável.

E o presidente, o que tinha a dizer sobre o desmantelamento obliterante de sua base e de sua estrutura de governo, debaixo de seu nariz? Nada.

Seus filhos faziam o trabalho sujo debaixo de suas barbas. Se consentia, um frouxo; se incentivava, um canalha.

Em suma, um demente. Um frouxo acanalhado, recalcado por se saber um medíocre, de curta inteligência e de pavio curto. Pronto para se vingar do que considera superior a ele, ou seja, tudo e todos.

Com a prole incendiária e promíscua colocando gasolina na fogueira com tuíteres idiotas, ora despentelhando um militar, ora a grasnar contra a atuação da tal "extrema imprensa", assistíamos pasmos, atônitos, paralisados de repulsa e horror, a uma exibição vulgar de autovitimização e de incitação ao ódio de fazer inveja a qualquer petista.

Estávamos vivendo o paroxismo da hidrofobia, o apogeu da imbecilidade autodestrutiva, como um bando de piranhas famintas a se devorar numa bacia.

Meu embaraço era absoluto.

Até aquele exato momento, sempre havia salvaguardado o Olavo (original) de qualquer reprimenda pública, aturando em silêncio todas as besteiras e as crueldades gratuitas (ou não) proferidas por seu suposto simbionte ao longo desses últimos três anos, quando testemunhei perplexo o afloramento e o recrudescimento de seus traços mais beligerantes reacionários, e descontrolados, com a súbita abdução pelo perverso Olavinho Noves Fora, O Anãozinho da Subtração afogando numa vasilha de vinagre o lado terno, cálido e bonachão de seu surrupiado hospedeiro.

E, em detrimento a uma amizade de quase quatro anos, e ao carinho genuíno que nutria por ele, permaneci, ainda por um tempo, tumular.

Mas aquela algazarra dantesca me impeliria a colocar a boca no trombone.

A vaquinha do Olavo

Estava exausto.

Vivíamos numa cornucópia de desastres, num turbilhão de trapalhadas, num trem fantasma de demissões, fritadas e declarações miseráveis.

Uma turba de inéditos tuiteiros aparecia do nada e – em seu ineditismo e, na maioria dos casos, anonimato – passava a opinar sobre o cenário, num misto de revista de fofoca de telenovela e briga de arquibancada entre torcidas organizadas.

No meio dessa balbúrdia desinteressante e tóxica, quando estou prestes a abandonar as atividades no Tuíter, soa o telefone.

Era um próximo e devoto sectário do xeique.

E o nosso sectário, mostrando sinais de preocupação, vem me pedir um favorzão: "Lobão, o Olavo está enrolado com dívidas do internamento dele lá no hospital. Está duro e pode até ser deportado se não quitar essa dívida. Dava pra você dar uma força?" Num misto de preocupação verdadeira e curiosidade sapeca, me dispus a ajudar naquilo que estava ao meu alcance: uma campanha nas redes.

Como já estava decidido a dar um tempo do Tuíter, escolhi a campanha da vaquinha do Olavo como meu último suspiro, como uma última manifestação de amizade a uma pessoa que, através de seu espírito obsessor, ou seja lá qual mandinga o possuísse, já havia erodido toda a minha confiança.

Enxergava aquele meu gesto como algo entre misericórdia e ironia. E lá estava eu, convocado por nada menos do que um dos seus mais rastejantes puxa-sacos de plantão, para movimentar uma campanha de arrecadação de fundos para salvar a pele do Olavo: "Valeu, Lobão, você é uma alma maravilhosa mesmo", despediu-se o assecla varado de gratidão.

Está claro que aquela tal campanha me exporia de forma muito negativa.

Afinal de contas, o anti-Olavo não parava de solar de cavaquinho, nos brindando com o que havia de pior que um ser humano pudesse oferecer naquelas circunstâncias.

Mas eu imaginava que, através de uma ação benévola, poderia provocar nele algum rasgo de afeto, de empatia e, assim, provocar uma emersão do Olavo original, mas nada...

Me expus a especulações mirabolantes, virei um dos "comandantes da vaquinha do Olavo", em virtude da minha espessa visibilidade e fortíssima penetração, dragando assim todo o elenco de suspeitas envolvendo aquela indecifrável campanha de arrecadação de fundos para o centro da minha pessoa.

Concluí que estava mais do que de bom tamanho minha participação na vaquinha e decidi que me retiraria de cena (da cena do Tuíter). Eu me dedicaria a produzir papos diários no meu canal do YouTube, no afã de tentar salvar minhas próprias esperanças naquele governo.

Youtuber

E assim ocorreu minha transmigração.

Comecei a produzir "papos" diários no YouTube e, em questão de poucas semanas, o canal virou um retumbante sucesso.

A cada semana, mais inscritos, e o teor dos papos girava em torno de receitas culinárias, dicas de livros, novidades da cena da música independente, jardinagem, produção musical, composições, performances ao vivo na viola caipira, assim também como advertências "cordiais" aos mais radicais. Ao mesmo tempo, hipotecava minha confiança nos planos de governo, na Reforma da Previdência, na capacidade (ainda não comprovada) do Paulo Guedes, pedindo exaustivamente moderação a um Olavo idealizado, diáfano, utópico, que, se realmente ele tivesse suas rusgas com alguém do governo, que resolvesse com um telefonema ou uma mensagem privados, mas não expusesse ao desgaste público aliados do governo etc. e tal...

O canal aumentava vibrantemente seus inscritos, ultrapassando os cem mil.

O tempo ia passando e os ataques daquele anãozinho subtrativo desagregador só aumentavam, principalmente mirando os militares – Mourão, Santos Cruz, Heleno –, e, quando chegou ao zênite da grosseria, da covardia em atacar o general Villas Bôas por conta de seus problemas de saúde, aquilo foi a gota d'água.

Eu já estava havia mais de dois meses fora do Tuíter quando retornei para colocar uma sentença, no intento de alertar sobre usurpação do simbionte, algo que teria a potência de uma verdadeira bomba atômica: "Olavo é uma farsa."

Fui bloqueado, pela primeira vez na minha história, por olavetes despirocados, enquanto o linchamento começou como se tivesse pisado num formigueiro.

A seita estava em chamas! Me xingavam de traidor, mal-agradecido, maconheiro, traíra, comunista, me tratavam como se eu nunca tivesse existido antes de pegar "carona" na candidatura de Bolsonaro, e dá-lhe aquela mesma ladainha da esquerda: "fracassado", "nunca fez uma música de sucesso e agora tenta ficar famoso do lado de Bolsonaro" e assim por diante.

Na manhã do dia seguinte gravei meu papo do YouTube me dirigindo estritamente ao Olavo, deixando patente meu descontentamento com suas posições e ritualizando, assim, meu desligamento.

Como vocês podem imaginar, a reação foi no mesmo quilate: explosiva, hidrófoba, desregrada. Ainda não havia me dado conta de que havia, sim, um método em tudo aquilo, que havia um objetivo claro em afastar todas as influências e lideranças do convívio de Bolsonaro, pois quem inventou o Bolsonaro foi o próprio Olavo e sua turma. E, sendo assim, acabaram por se suceder muito bem nessa meta.

O governo está nas mãos de bolsolavistas e será ocupado somente por bolsolavistas, e isso tenderá a se agravar.

Saímos de um tormento para ingressar num pesadelo. Esse é o resumo da ópera por trocar o PT pelo bolsolavismo.

Todavia, no meio daquela torrente de revelações apocalípticas, eu deveria realizar um rito de defecção, um rito que determinasse o fim de uma relação e, ao mesmo tempo, que irradiasse uma determinada beleza, uma determinada redenção.

Deveria compor uma canção que pudesse ser um rito de fronteira, que delimitasse o fim daquela jornada e, ao mesmo tempo, ser uma obra livre de qualquer história pregressa.

Sendo assim, numa madrugada de uma segunda-feira, me tranquei no estúdio, desenvolvi um tema bem simples no meu violão Seresta, imaginei algo meio Leonard Cohen, algo que pudesse cantar com um registro bem grave, com uma atmosfera folk.

Em seguida, iniciei a confecção da letra, abordando um fato que sempre me deixou intrigado: assistir a uma mosca tentar sair do aprisionamento de uma janela, de uma vidraça, lutando em vão contra a solidez traiçoeira da transparência, tendo o vão para a liberdade a milímetros do seu alcance e, mesmo assim, acabar perecendo por não conseguir perceber sua salvação tão perto de si. É o tal do Santo Óbvio, que salva quando percebido e mata quando ignorado.

Da mesma forma, comparava essa situação às inúmeras limitações do ser humano.

Quantas vezes estamos tão perto de uma solução, de uma saída, e acabamos por fenecer.

Quanta estupidez humana nos cega para assuntos tão banais?

A letra se desenvolve como uma gangorra num filme de bangue-bangue...: ora falando sobre as vicissitudes do homem mau, de suas banalidades, seus atavismos, suas subtrações (o tolo não entende o horizonte nem os mistérios do céu/Satisfaz-se feliz com o blefe de qualquer fariseu), ora falando das virtudes do homem bom (e o dia amanhece tranquilo, pra quem jamais temeu/todo homem que vence moinhos/tem a graça de Deus). O refrão da canção é uma alusão bastante clara: me dê uma prova, que ainda é quem pensa ser/e não apenas uma fada/de um universo de papel.

Com a letra pronta, parti para sua gravação imediata.

Para a gangorra num bangue-bangue. Imaginei uma paisagem de filme de faroeste italiano, mais uma vez Ennio Morricone me inspirou, com sinos, tímpanos, guitarras *tremolo*, um órgão para dar um clima de contrição religiosa, o violão Seresta como espinha dorsal da música, uma guitarra meio David Gilmour solando e comentando todo o transcorrer da faixa, uma batida pesada de baixo e bateria e... *voilà*!

Um processo que começou às quatro da manhã estava pronto com melodia, letra, arranjo, gravação e mixagem às dez.

E é isso que sempre falo: fazer música para mim é um milagre.

O milagre da sublimação de sentimentos ruins, feios, em júbilo, alegria, amor, vida!

Perceber a vida brotar de algo que não existia momentos atrás sempre me deixou maravilhado.

E é esse contato com minha parte criativa que me deixa uma pessoa mais bacaninha, que me enche de alegria, que não me deixa enlouquecer, que me diverte e me povoa, com a graça de Deus!

Com a graça de Deus

O inseto luta contra a vidraça
Porque se engana com ar
São fronteiras, limite entre a vida
E a ilusão de voar
E o dia amanhece tranquilo
Com a graça de Deus
Quando o homem desperta do sonho
Que jamais esqueceu
Que jamais esqueceu
Que jamais esqueceu
Todo tolo não entende o horizonte
Nem os mistérios do céu
Satisfaz-se feliz com o blefe
De qualquer fariseu
E o dia amanhece tranquilo
Com a graça de Deus
E os segredos do homem sozinho
Ele chama de eu
Ele chama de eu
Ele chama de eu
Então me dê uma prova
Que ainda é quem pensa ser
E não apenas uma fada
De um universo de papel
Me dê uma prova

Que ainda é quem pensa ser
E não apenas uma fada
De um universo de papel
De um universo de papel
O que vejo te segue o que canto
Já te ensurdeceu
E o luminoso nonsense *do místico*
A miséria escondeu
E o dia amanhece tranquilo
Pra quem jamais temeu
E o homem que vence moinhos
Tem a graça de Deus
Tem a graça de Deus
Com a graça de Deus
Então me dê uma prova
Que ainda é quem pensa ser
E não apenas uma fada
De um universo de papel
Me dê uma prova
Que ainda é quem pensa ser
E não apenas uma fada
De um universo de papel
De um universo de papel

Capítulo 24
2020 | Valkiria Queen

Os meses vão se escoando melancolicamente, como uma hemorragia passiva de um suicida, e o panorama político estabelece novos parâmetros para o que entendemos por ridículo, por intelectualmente precário, pelo que é uma sociedade retrógrada.

O Brasil, sob a administração Bolsonaro, alcança o desprezo mundial através das posturas criminosas em relação ao meio ambiente, provocando animosidades e antipatias em toda a comunidade internacional.

Eu fico aqui imaginando aquelas desculpas esfarrapadas dos bolsolavistas em relação às queimadas na Amazônia – "A imprensa só se revolta com os incêndios na Amazônia" –, sem levar em consideração que passamos a ter um governo que manifestamente desacredita por completo as mudanças climáticas, incentiva e compactua, de uma forma ou de outra, com essas queimadas de forma categórica.

Fico aqui imaginando o inferno que a floresta se tornou com o beneplácito pró-queimada desse governo, uma vez que, em pleno governo Dilma, eu mesmo pude constatar *in loco* a barbaridade dantesca da selva em chamas, numa administração que ainda tinha algum pudor em esconder as cagadas ambientais na região.

Tivemos um aumento percentual alarmante das queimadas na Amazônia, as populações indígenas em pé de guerra com um governo que se pôs a persegui-las, o subsolo sendo rifado escancaradamente enquanto os apoiadores do governo inventam as desculpas mais esfarrapadas imagináveis, em prol de um fantasmático "progresso". Carentes, decerto, de um novo e improvável milagre brasileiro.

Temos um surto da presença de bispos evangélicos picaretas tomando o poder em quase todos os setores: na cultura, na Lei Rouanet, em mais isenções de taxas e impostos, na escolha de cargos públicos etc. Como se não bastasse ser essa facção evangélica um segmento bilionário que já se apoderou do mercado musical, televisivo, imobiliário, constituindo-se por si só numa verdadeira praga.

Houve um tremendo estelionato eleitoral com desabusadas traições de campanha, com a manutenção da EBC, deixando de ser a TV Lula para ser a TV Bolsonaro, a retirada do Coaf do Ministério da Justiça, o esvaziamento da luta contra a corrupção, o nepotismo escancarado e obsceno, a volta da censura, a absurda pregação da abstinência sexual para erradicação de doenças sexualmente transmissíveis, a perseguição cultural, as deformidades esdrúxulas na educação e nas relações internacionais, o revanchismo, os linchamentos de reputações, os olavetes se estapeando por cargos governamentais e um diapasão grotesco, bizarro, de terraplanismo cultural, de anti-intelectualismo, anticiência, antiarte, pseudorreligiosidade fundamentalista que, certamente, será a fachada característica desse lamentável e sombrio período no qual o Brasil se meteu.

Enquanto isso, os ditos "liberais" exultam com supostos resultados positivos na economia, validando mais uma vez que são uns cretinos tecnocratas capazes de comer cocô com farofa caso o lucro seja uma possibilidade real. Ainda não aprenderam (e me parece que jamais aprenderão) que, para ser um liberal, há de se ter liberdade em todos os setores da vida, constituindo-se num imenso cinismo tapar os atos inadmissíveis com uma euforia obtusa diante de resultados econômicos supostamente favoráveis, mesmo com um imbecil delinquente na Presidência, sendo ungido por um picareta religioso, perseguindo artistas, vilipendiando a imprensa livre, fazendo chacota de tudo que ignora, se lambuzando no próprio deslumbramento com o cargo, prestando tributo à memória de genocidas, envolto em uma aura asquerosa de nostalgia de ditaduras, tentando desestabilizar todas as instituições democráticas, protegendo de forma abusiva e descabida seus três filhos, três rematados oligofrênicos.

Quando poderia imaginar testemunhar Chico Buarque ser mais uma vez submetido à censura? Quando poderia imaginar a Secretaria de Cultura e seus órgãos adjacentes todos ocupados por picaretas evangélicos? Todos provenientes daquela máfia de gângsteres travestidos de bispos, parasitas da fé alheia, ou os terraplanistas explícitos, asseclas de Olavo de Carvalho.

Em um ano apenas de governo, o Brasil conseguiu dar uma marcha a ré de uns sessenta anos. O Grande Salto... para trás. Da Terra do Nunca para Terra do Jamais.

O ponto positivo nisso tudo é perceber que não há seara filosófica, ideológica ou religiosa perfeita o bastante para evitar o canalha, o avaro, o psicopata.

Uma excelente lição para todos aqueles que apoiaram a troca do PT pelo Bolsonaro (e nisso me incluo) de que a esquerda não é em absoluto a principal causa de todos os males da humanidade, pois quaisquer sistemas, filosófico, ideológico ou religioso, mostram-se plenamente capazes de albergar os maiores canalhas vis, dissolutos, medíocres, aproveitadores e charlatães disponíveis no mercado. Sob essa lente, devemos agradecer ao governo Bolsonaro por ter sido pródigo em nos exibir tamanha profusão desses execráveis exemplos.

O poder atrai esse tipo de criatura e cabe agora aos ainda apoiadores desse desditoso governo (aqueles que ao menos conseguem resguardar um mínimo de dignidade pessoal) acordarem para essa simples realidade: onde houver poder, haverá o canalha atrás dele. E cabe a cada um de nós não tolerar, muito menos defender, acalentar ou mitificar um canalha.

No meu caso, essa lição me levou a um ponto crucial na minha vida: se há governo, serei sempre oposição. E, de preferência, muito longe desse buchicho idiota que se tornou a discussão política aqui no Brasil.

Minha atuação se focará exclusivamente no que sei e amo fazer: música. Nela está todo o poder de cura e transformação pessoal, assim como também tudo o que realmente posso colaborar no que possa existir ao meu redor.

No dia em que fiz 62 anos, decidi que deveria me submeter a um novo rito de passagem. Raspei a extensa cabeleira que comecei a cultivar justamente quando fui tocar o hino nacional na Paulista.

Com as madeixas, se foram todos os meus anseios tolos por uma mudança que jamais virá de fora. Que jamais volte a me guiar por essa vontade estúpida e ingênua.

Minha índole e minhas características pessoais sempre penderam para a abstração, para a vida interior, para uma busca de aperfeiçoamento interno, portanto, estava mais que na hora de frisar esses compromissos com rituais e ações.

Todavia, nem tudo é um desastre completo.

Me vi aliviado por sentir afeto, carinho e por defender desafetos antigos como o Caetano e o Chico, como se fossem meus amigos de infância, quando se tornaram vítimas de atos covardes e arbitrários.

Percebi que só podemos entrar em brigas e querelas na vida se possuirmos dentro da gente reservas robustas de amor e empatia para com nossos adversários.

Outra decisão importante foi a de voltar para o meu lar musical: o rock. Quero fazer um álbum de rock pesado, desterritorializado, com instrumental reduzido, possante e impávido, com letras em inglês. Uma celebração.

Eu jamais pensara em fazer letras em inglês e devo ter abraçado essa ideia através de um sentimento de que não me pertenço a nenhum determinado grupo nem cultura determinados. Fazer letras em inglês me deixará mais livre para desenvolver uma música mais pesada e mais arrojada, sem contar que é mais uma aventura, mais um desafio na minha vida.

Para começar esse novo projeto, imaginei fazer uma progressão de riffs e me valer deles para o desenvolvimento geral do tema. Riffs pesados, dissonantes, com bastante distorção na guitarra. A *vibe*? Muita fúria e humor negro.

Gravei a tal sequência de riffs, coloquei uma bateria eletrônica para dar uma cadência na progressão dos acordes e, em seguida, comecei a cantarolar uma linha de melodia.

Quando tudo ficou encaixado com introdução, meio, refrão e fim, senti uma emoção de novato, um friozinho na espinha diante da tarefa de escrever numa língua que jamais escrevera antes.

Comecei a rabiscar umas ideias... E as imagens de ruptura, de revolta e a vontade de rir daquilo tudo me impulsionavam para um tema: fechar esse tal ciclo, essa década, com uma pá de cal irrevogável. Que seja uma catarse.

Me lembrei de como compus a canção anterior a essa, "Com a Graça de Deus", de como fui comedido, como tentei ser elegante e civilizado.

Essa canção em inglês não seguiria esses moldes.

Nesse determinado momento, me ocorreu uma ideia: por que não convocar meu amigo de todas as horas, meu sobrinho querido, o Puig, lá em Londres, para uma parceria?

Afinal de contas, ele estuda literatura inglesa com paixão e afinco, ama poesia e conhece a cultura de rock profundamente, tendo assim todos os atributos para a adorável aventura de cometer essa letra junto comigo!

E assim se sucedeu. Passamos uma manhã inteira trocando figurinhas pelo WhatsApp.

Eu mandava um texto, ele me retribuía com novas ideias, ou correções, ou advertências sobre a pertinência de determinados termos, e, no cair da tarde de um sábado de final de novembro, nascia "Vakiria Queen", que fala sobre um personagem típico (um personagem mosaico?) dessa era bolsolavista, um verdadeiro lambedor de bolas de tiranete, um verdadeiro habitante de uma idade das trevas cuja única ocupação é exilar a luz, de gurus histéricos comandando uma legião de idiotas submissos, sob a égide do retrocesso, anti-intelectualismo, terraplanismo, excitações sexuais reprimidas e inconfessáveis, deformidades de conduta impostas por espessa mediocridade, religiosidade patológica, delírios conspiratórios e assim por diante.

O neocarolismo, a retaguarda templária, a presunção de elite cultural, as ninfomaníacas de Deus, os nanopriápicos, esse é o reino que daria inveja à imaginação de um Hieronymus Bosch. Ou de um Pieter Bruegel.

Enfim, nascera a canção com a missão de consolidar meu rito de passagem, abrindo alas ao futuro através do estilo pesado e sucinto do groove, ao mesmo tempo, enterrando o passado através da letra, numa blague furiosa e engraçada, como todo o bom rock'n'roll deve ser.

Colocarei aqui a letra e sua tradução logo em seguida.

Valkiria Queen

He's a tyrant balls licker
praising order and control
by contraptions crafting paranoia
the zealots breed their foes
in these times of tacky charlatans...
preachers of tampered fears
they give meaning and glamour to your bigotry
and reason to your sneer
Selling rusty cages, as holy fire
To helpless foolish minds
The Preposterous feeds the freaks,
The faithful ones he blinds
A swelling past to swallow mornings
in the name of a sacred flattened earth
a sleepwalker plays the prophet
for the crowd of baffled serfs
All the fraud he sees and condones
Is the fraud that he became
Just to settle for a crown of bananas

And a throne of lies in God's name
Existencial virgins are begging
Before the dwarf of subtraction
For a land of stillness assured,
Freed from rock and roll, fury and passion
He made a fool of everyone,
Cause in fact,it was himself
who wrote all Beatles songs,
throwing the blame on poor Teddy's lap,
in his Frankfurtlesque fashion,
All this crazy shit just to hide the dream
to marry Elvis,
The King in secret,
beeing her sweet
Valkiria queen
dressed all in satin.

Valkiria Queen (tradução livre)

Ele é um lambedor de bolas de tirano
Louvando ordem e controle,
Através de engenhocas produzindo paranoia
Os fanáticos criam seus inimigos
Nesses tempos de charlatães cafonas
Pregadores de medos adulterados
Eles dão significado e brilho aos seus preconceitos
E razão para seu desdém
Vendendo gaiolas enferrujadas como fogo sagrado
Para mentes desamparadas e tolas
O Ridículo/Absurdo alimenta suas aberrações
Aqueles mesmos fiéis que ele cega
Um passado se entumecendo, engolindo manhãs,
Em nome de uma sagrada terra aplainada

O sonâmbulo se faz de profeta
Para a multidão de servos pasmos
Toda a fraude que ele vê e tolera
É a fraude que ele se tornou
Para apenas se contentar com uma coroa de bananas
E um trono de mentiras em nome de Deus
Virgens existenciais estão implorando
Diante do anão da subtração
Por uma terra de tranquilidade assegurada
Liberta do Rock, de fúria e da paixão
Ele fez todo mundo de bobo
Porque, na verdade, foi ele mesmo
Que escreveu todas as canções dos Beatles
Jogando a culpa no colo do pobre Teddy
Naquela sua atmosfera frankfurttlesca
Mas toda essa merda engendrada só para esconder
Seu sonho de se casar com Elvis, o Rei,
em segredo,
Se tornando assim,
sua doce Rainha Valkiria
Toda vestida em cetim

Muita gente veio me perguntar qual era o significado desse título, e eu explico: o personagem em questão (como disse anteriormente, um mosaico retirado de caricaturas que são esses projetos de criaturas) supostamente teria vivido um tórrido romance com um dos nossos mais emblemáticos caciques da esquerda (um ex-líder estudantil que virou guerrilheiro treinado em Cuba), se tornando sua amante nos tempos turbulentos de juventude nos anos 1960, quando ambos dividiam o quarto transformado em ninho de amor, dentro do aparelho terrorista que habitara. Segundo as más línguas, o personagem em questão atendia pelo nome de Valkiria, um doce e idílico personagem passivo naquele revolucionário romance. A vida realmente... dá voltas.

O ano de 2020 se inicia turbulento com o incidente sombrio no Irã, com as mortes de Neil Peart e Roger Scruton, com o governo brasileiro cada vez mais atolado nos seus constrangedores vexames.

Eu só enxergo mudanças na minha vida. Já estou compondo temas novos, com muita guitarra, muita bateria, baixo e letras em inglês. Ou seja, ando numa felicidade insuportável, mais uma vez!

"Valkiria Queen" está tendo ume excelente aceitação nas plataformas digitais, tenho conhecido muitas bandas de vários lugares do mundo por esse motivo e é assim que desejo prosseguir.

Outra etapa que se encerra é a do nosso lar. É hora de levantar acampamento daqui do Sumaré e procurar outra morada tão incrível quanto foi essa casinha maravilhosa que nos acolheu por mais de sete anos durante os quais produzi quatro discos e quatro livros, nos agraciando com uns dos melhores anos de nossas vidas.

Agora nos cabe traçar novos horizontes, rolar o globo com o dedo e ver em qual parte do mapa iremos aterrissar para assim inaugurar mais uma etapa esfuziante de nossas vidas.

Desse período mágico e tumultuadíssimo que se expira agora, levo preciosas lições: de nada adianta se ater sofregamente ao processo de aprendizado se, ao final, não obtivermos conhecimento de verdade.

Os caminhos da sabedoria não concebem atalhos.

A sabedoria requer do indivíduo um perpétuo questionamento em relação a seu conhecimento, jamais se afastar da humildade, da abnegação à justiça e do respeito ao próximo, inclusive, ao inimigo.

Arte não é nem nunca será fruto de direcionismo doutrinário, seja ele religioso ou ideológico. Vivemos há décadas sob forte restrição e ingerência no processo criativo.

Saímos de um regime de arte "engajada", reprimida e moldada por dogmas estético-ideológicos para cair no colo de uma administração que anseia por uma espécie de cruzada religiosa, uma guerra cultural imbecil e fora de propósito que estreitará ainda mais os desígnios culturiais/artísticos no país.

Quem entende de arte é o artista, jamais o burocrata, o teórico ou seja lá quem quer que seja a querer adotar diretrizes, restrições ou formas de conduta para qualquer meio artístico.

Arte é liberdade, intuição, curiosidade, inovação, transgressão, transcendência, e essas pessoas envolvidas nesse governo atual estão muito distantes de quaisquer desses atributos, pois são ocos, estreitos, rasos e... planos.

O bom nisso?

A fúria e a criatividade do inconformismo prevalecerão.

Arte não se submete a corrimões comportamentais, muito menos a ditames impostos por medíocres recalcados.

Qualquer dogma ou doutrina que te reduza a mero seguidor destinado a se submeter a regras arbitrárias de um líder onipotente imporá ao dito indivíduo a condição de mera miniaturização cruel do ser, privando-o, assim, da expansão e do crescimento pela procura, pela liberdade em errar e acertar por si mesmo, pelo arrojo em assumir suas responsabilidades resultantes de suas experiências sem o aval de ninguém e pela coragem e curiosidade que somente uma alma livre pode e deve experimentar.

A liberdade nos confere a dignidade primordial, que é inerente, de sermos humanos, e, sem ela, somos apenas homúnculos a serviço de espíritos famintos.

E não há nesse mundo nada mais precioso que esse influxo maravilhoso que é ser livre para ser o que realmente somos.

A única maneira honesta em ansiar por um mundo melhor é se permitir e se exigir tornar-se uma pessoa melhor. Algo que cabe apenas a cada um de nós.

E que sigamos felizes nossa trajetória, prontos para perdoar nossos inimigos, confraternizar a intensa beleza dessa vida com nossos amigos, nos amalgamarmos como um só a nossas almas gêmeas, pois a nossa onda de amor não há quem corte.

Espero poder, daqui a dez anos, voltar a estar com vocês para ampliar ainda mais essa saga, para mais uma vez atualizar as aventuras incríveis que certamente virão.

Prosseguir entusiasmado, grato e comovido com todas as partes da existência: seja vida, morte, vitória, fracasso, vazio, para assim usufruir dos insondáveis frutos da minha sublime velhice, assim como tenho desfrutado de todas as etapas de minha história; só que, desta feita, a muito, a muito mais de mil – com a bem-aventurança da luz e a velocidade do instante.

Pois o melhor, creiam, ainda está por vir...

Até lá!

Notas

Capítulo 3

1 <www.omelete.com.br/filmes/lobao-50-anos-mil-cinebiografia-contrata-diretor>.

Capítulo 9

1 <www.brasil247.com/cultura/lobao-convoca-complo-contra-projeto-de-lei-do-ecad>.

2 <www.noticias.r7.com/brasil/em-audiencia-no-stf-lobao-dispara-puseram-o-roberto-carlos-no-congresso-isso-e-uma-palhacada-18032014>.

3 <www.farofafa.com.br/2014/03/19/querem-derrubar-a-lei-do-ecad/>.

4 <www.efratamusic.com.br/conteudo.php?id=772&id_secao=1>.

5 <www1.folha.uol.com.br/ilustrada/2014/03/1426724-lobao-e-frejat-se-enfrentam-em-debate-sobre-a-lei-dos-direitos-autorais.shtml>.

6 <www.g1.globo.com/pop-arte/noticia/2014/03/musicos-divergem-sobre-direitos-autorais-stf-julgara-acao-neste-ano.html>.

Capítulo 10

1 Seguem aqui dois links para reportagens que cobriram o incidente em Brasília:
<www1.folha.uol.com.br/mercado/2014/12/1556973-apesar-de-manifestantes-barrados-lobao-e-liberado-para-votacao-de-manobra-fiscal.shtml>
<http://poderonline.ig.com.br/index.php/2014/12/03/me-levem-ao-lider-dessa-joca-diz-lobao-no-congresso>.

Capítulo 12

1 <www.noticias.uol.com.br/politica/ultimas-noticias/2015/07/12/lobao-faz-versao-anti-pt-de-sucessos-antigos-e-canta-dilma-bandida-em-show-em-sp.htm>.

2 <www.combaterock.blogosfera.uol.com.br/2015/07/12/lobao-se-afunda-vertiginosamente-ao-trocar-musica-por-desrespeito/>.

3 <www.entretenimento.r7.com/pop/lobao-cobra-r-700-para-tirar-foto-com-fas-no-camarim-mas-ninguem-paga-16072015>.

4 <www1.folha.uol.com.br/colunas/monicabergamo/2015/07/1656502-lobao-nao-consegue-metade-do-queria-com-financiamento-coletivo-para-disco.shtml>.

Capítulo 15

1 <www1.folha.uol.com.br/colunas/monicabergamo/2016/01/1733415-figura-de-lobao-torna-dificil-conseguir-apoio-diz-produtor-de-filme-biografico.shtml>.

2 <www.cultura.estadao.com.br/noticias/musica,gilberto-gil-aceita-desculpas-de-lobao-e-chico-buarque-ignora-sua-carta-aberta,10000023579>.

Capítulo 17

1 Para assistir ao videoclipe acesse o link: <www.youtube.com/watch?v=nwWx1i2AT1o>.

Capítulo 18

1 <www.musica.uol.com.br/noticias/redacao/2017/09/19/lobao-muda-trecho-e-replicantes-proibem-uso-de-surfista-calhorda-em-disco.htm>.

2 <www.g1.globo.com/musica/blog/mauro-ferreira/post/proibido-de-regravar-os-replicantes-lobao-acata-veto-com-esportividade.html>.

3 <www.revistaforum.com.br/brasil/banda-punk-proibe-lobao-o-golpista-de-regravar-sucesso-dos-anos-80>.

4 <www.facebook.com/heron.heinz/posts/2034035016622804>.

5 Seguem outros links de comentários e matérias sobre o episódio:

<www.oglobo.globo.com/cultura/musica/replicantes-negam-direitos-para-lobao-regravar-surfista-calhorda-21842794>.

<www.facebook.com/Lobaooficial/videos/surfista-calhorda-n%C3%A3o-est%C3%A4-mixada/1465377460212252/>.

<www.twitter.com/lobaoeletrico/status/910152937833365504>.

<www.facebook.com/Lobaooficial/posts/1469190793164252>.

<www.twitter.com/andresssam/status/910549631620255744>.

<www.twitter.com/berjeee/status/910241132772241411>.

<www.twitter.com/educypriano/status/910503744168693761>.

<www.twitter.com/fredmelopaiva/status/910603127165943811>.

<www.twitter.com/marcogomes/status/911227293799997440>.

<www.twitter.com/claudiocanuto/status/910547228170817538>.

<www.twitter.com/jpbrubacher/status/910529982883123200>.

<www.twitter.com/punkramenaz/status/911008313931960320>.

<www.twitter.com/danibacedo/status/910458377288998913>.

<www.twitter.com/punkjazzTV/status/910234436423356416>.

Capítulo 19

1 Abaixo, algumas postagens e artigos sobre o episódio:
<www.sensoincomum.org/2017/10/22/sexo-menor-14-sempre-foi-estupro-caetano/>.
<www.youtube.com/watch?v=S3XPNNUOSXM>.
<www.jovempan.com.br/programas/jovem-pan-morning-show/lobao-sobre-caetano-veloso-acho-pior-menina-ser-feia-do-que-ter-12-anos.html>.
<www.twitter.com/lobaoeletrico/status/922430327867564032>.
<www.twitter.com/lobaoeletrico/status/925537996388134914>.
<www.twitter.com/lobaoeletrico/status/921904744821678080>.
<www.twitter.com/lobaoeletrico/status/921860416334127105>.
<www.twitter.com/lobaoeletrico/status/921855649390133248>.
<www.twitter.com/lobaoeletrico/status/921716675417968640>.

2 <www.youtube.com/watch?v=lN9Wq8KC8wQ>.

3 <www.g1.globo.com/musica/blog/mauro-ferreira/post/lobao-destila-amores-odios-e-erros-em-guia-raso-sobre-rock-dos-anos-80.html>.

4 Seguem outros links sobre o livro:
<www.youtube.com/watch?v=926RXUBjQpA&list=PL4TtDTTPZyauKG1kFK8MJwzCeTyo32xkc>.
<www1.folha.uol.com.br/ilustrada/2017/07/1899737-em-novo-livro-lobao-ataca-gilberto-gil-caetano-veloso-e-chico-buarque.shtml>.
<www.consultoriadorock.com/2018/04/04/livro-lobao-em-guia-politicamente-incorreto-dos-anos-80-pelo-rock-2017/>.
<www.leya.com.br/guia-politicamente-incorreto-dos-anos-80-pelo-rock/>.
<www.youtube.com/watch?v=T9cdDJGAe3w>.
<www.youtube.com/watch?v=dDNjmT1Vky8>.
<www.youtube.com/watch?v=rgveOxcqVTM>.

Capítulo 21

1 Aqui vão os links:
<www.twitter.com/Paullo_Ricard0/status/1055790423048945664>.
<www.twitter.com/adilson1978/status/1056265444921954304>.
<www.twitter.com/Laisa_Gums/status/1060328322306056192>.
<www.twitter.com/RobsonWaynePRO/status/1058449951473029120>.
<www.twitter.com/GalloMontella/status/1057370959387283456>.

<www.twitter.com/adilson1978/status/1056265444921954304>.
<www.twitter.com/adilson1978/status/1055777142326390790>.
<www.twitter.com/adilson1978/status/1055270149882892289>.
<www.twitter.com/adilson1978/status/1055266230267985920>.
<www.twitter.com/Nanipali65/status/1053429453785829376>.

2 <www.f5.folha.uol.com.br/celebridades/2018/10/danilo-gentili-e-lobao-encenam-velorio-do-pt-em-rede-social.shtml>.

3 <www.politica.estadao.com.br/noticias/geral,deputado-brigao-do-para-defende-lobao-para-ministro-da-cultura,70001895021>.

4 Alguns links desses posts a clamar pela minha pessoa para ocupar o Ministério da Cultura:
<www.facebook.com/orville.deconti/videos/2723916164300426/>.
<www.facebook.com/esequiel.santos.14/posts/1402055909898346>.
<www.facebook.com/andre.hanna.526/posts/10161216062725717>.
<www.facebook.com/jorgeluiz.m.porto/posts/2060469200679950>.
<www.facebook.com/andre.mansim/posts/1963850607028996>.
<www.facebook.com/leonardo.augustocastrioto/posts/2262950233831770>.
<www.facebook.com/adeir.rodrigues.7/posts/1436740033095794>.
<www.facebook.com/lucimar.rodrigues.darc/posts/2294408270586688>.
<www.facebook.com/saulo.reis.2035/posts/1122980641196556>.
<www.twitter.com/GlauberRosa/status/1054468749259096065>.
<www.twitter.com/lostalphaa/status/1056211653354840064>.
<www.twitter.com/geovane_hm/status/1051209510600228866>.
<www.twitter.com/SenseiTRF/status/1053732235310964736>.
<www.twitter.com/gideoliveira4/status/1055074188522852352>.
<www.twitter.com/AntoninoFabbri/status/1056916594935431168>.
<www.twitter.com/AhimGraach/status/1057665312693370882>.
<www.twitter.com/caduvalinhos/status/1056905139506819072>.
<www.twitter.com/SbaraiJan/status/1054475474792038402>.
<www.twitter.com/stp_leo/status/1053658171099807746>.
<www.twitter.com/kadusafadao2142/status/725476707994619904>.
<www.twitter.com/TecoTavares/status/344208532817731584>.
<www.twitter.com/twiterdoMumu/status/309675721905819648>.

1ª edição	Março de 2020
papel de miolo	Pólen Soft 70g/m²
papel de capa	Cartão Supremo 250g/m²
tipografia	Palatino
gráfica	Lis